D1349288

Pubergids autisme

Enkele andere boeken van Uitgeverij Nieuwezijds

VAN DER VELDE Oudergids autisme
JACKSON Mafkezen en het Asperger-syndroom – een handleiding voor de puberteit
HÉNAULT Asperger-syndroom en seksualiteit
SLATER-WALKER Een Asperger-relatie
WILLEY Doen alsof je normaal bent – leven met het Asperger-syndroom
WIEKEN De dinoman en het muziekmeisje – leven met autistische kinderen
WILLIAMS & WRIGHT Hulpgids autisme
BOYD Oudergids Asperger-syndroom
KUTSCHER Kinderen in de syndroommix
EKMAN Gegrepen door emoties – wat gezichten zeggen

Caroline van der Velde

Pubergids autisme

een praktische handleiding

Illustraties: Babette van der Velde

Uitgegeven door: Uitgeverij Nieuwezijds, Amsterdam
Illustraties: Babette van der Velde/Babs Graphic Works
Omslag: Studio Jan de Boer, Amsterdam
Zetwerk: CeevanWee, Amsterdam

ISBN 978 90 5712 251 4
NUR 770

Een kapot vijfhoekje

Als je autisme hebt, gedraag je je anders dan mensen zonder autisme. Mensen zonder autisme willen soms dat je je aanpast, maar dat is iets wat je niet kunt en wat ook niet hoeft. In *Autisme verteld. Verhalen van anders zijn* (red.: Cis Schiltmans) beschrijft de beeldend kunstenaar Landschip dit als volgt:

> In de wereld van de puntige vierkantjes werd eens een vijfhoekje geboren. Vijfhoekjes waren jammer genoeg niet gewenst bij de puntige vierkantjes. De vierkantjes zeiden: 'We breken er wel een hoekje af, dan is het ook een vierkantje.' Dat ging niet zo makkelijk als ze dachten. Ze timmerden erop los, maar het lukte niet om er een vierkantje van te maken.
>
> Het vijfhoekje was nu flink beschadigd. De puntige vierkantjes waren teleurgesteld over het resultaat. Ze gaven het kapotte vijfhoekje toen maar een grote plank, een houten vierkant, met twee kijkgaten erin. Het vijfhoekje moest voortaan altijd die plank voor zich uit dragen, om op een vierkant te lijken. Zo kon het zich jarenlang in de wereld van de vierkantjes bewegen. Dat vonden de vierkantjes best aanvaardbaar.

Het vijfhoekje werd doodmoe van altijd met die grote zware plank te zeulen. Het bleef maar zoeken en zoeken naar een oplossing om ooit echt een vierkantje te worden. Na lange tijd kwam het uitgeputte vijfhoekje een paar wijze afgeronde vierkantjes tegen. Die zagen er veel vriendelijker uit dan de puntige vierkantjes.

'Hoe kan ik ooit nog een echt vierkantje worden?' vroeg het vijfhoekje. 'Jij? Een vierkantje? Maar je bent gewoon een vijfhoekje!' zei één van de afgeronde vierkantjes. 'Leg die plank eens even neer.'

De andere afgeronde vierkantjes zagen het nu ook. 'Ja! Jij bent gewoon een vijfhoekje! Jij hoeft toch niet te doen alsof je een vierkant bent! Je hebt alleen maar een hoekje meer dan wij, daar is niks mis mee. Wij kennen er nog meer zoals jij, hoor!'

Bij de afgeronde vierkantjes mocht het kapotte vijfhoekje dat zware stuk hout eindelijk weggooien. Een paar puntige vierkantjes hadden dat van ver gezien en zeiden: 'Oei, nu gaat het heel erg slecht met het vijfhoekje, het lukte altijd zo goed met die plank!' Maar het vijfhoekje wist wel beter.

Woord vooraf

Het idee om deze *Pubergids* te gaan schrijven, kwam voort uit hetzelfde 'onbehagen' waaruit de *Oudergids autisme* ontstond. Voor allerlei professionals die met kinderen met autisme werken, was er een ruim aanbod aan informatie, opleidingen en trainingen, maar voor ouders was er niets. De *Oudergids autisme* werd uiteindelijk niet alleen door ouders maar ook door hulpverleners met open armen ontvangen.

Hetzelfde zie ik bij pubers met autisme – over jullie hoofden heen worden er strategieën bedacht en handelingsplannen gemaakt om ervoor te zorgen dat jullie goed kunnen functioneren, maar jullie worden daar zelf vaak niet bij betrokken. Sterker nog; hoewel jullie over het algemeen weten dat jullie autisme hebben, is het vaak onduidelijk welke rol dat in jullie leven speelt. Alle pubers zijn op zoek naar zichzelf en moeten ontdekken hoe ze in de wereld staan. Voor pubers met autisme komt daar nog een extra dimensie bij: wat hoort bij mij en wat hoort bij mijn autisme?

Mij lijkt de puberteit een goed moment om te leren wat de invloed van het autisme op je functioneren is én om te leren hoe je zelf oplossingen kunt bedenken voor de problemen die je autisme met zich meebrengt. Naarmate je ouder wordt, zul je steeds vaker in situaties terechtkomen waarin je zelf oplossingen moet kunnen vinden. Als je zelf weet waar en wanneer je last hebt van je autisme, zul je makkelijker om hulp kunnen vragen, als dat nodig is. Leren zeggen dat je iets niet snapt en vragen om uitleg werkt veel beter dan je afsluiten, weglopen of in paniek raken. Dat zul je niet meteen kunnen, maar stap voor stap kun je dat oefenen.

De *Pubergids autisme* is een handboek dat bedoeld is voor pubers met autisme, maar ouders kunnen er ook veel aan hebben. En ik hoop dat dit boek, net als de *Oudergids autisme*, in de werkkamer van professionals terecht zal komen.

Ik heb dit boek geschreven op basis van mijn ervaringen met kinderen met autisme én met scholen en instellingen. Nadat ik een post-hbo cursus volgde met de gecompliceerde titel *De educatieve benadering van mensen met autisme en aan autisme verwante contactstoornissen*, heb ik een aantal jaren trainingen gegeven op het gebied van *theory of mind* en sociale vaardigheden in het speciaal basisonderwijs. Daarvoor heb ik bestaande trainingen aangepast voor de specifieke doelgroep van kinderen met autisme. Omdat ik mijn kennis graag wou delen, heb ik destijds de *Oudergids* geschreven. Daarna ben ik mij gaan toeleggen op voorlichting aan scholen en instellingen.

Ik heb ervoor gekozen dit boek zo compact mogelijk te houden – ik geef dus bewust geen uitgebreide uiteenzettingen over de diagnose autisme, daar zijn andere boeken voor. De *Pubergids autisme* is ontstaan dankzij mijn puberzoon Ruben; hij heeft mij een blik gegund in zijn leven met autisme.

Mijn dochter Babette heeft ook een grote rol gespeeld. Zij is degene die de behoeftes van Ruben snel oppikt – zowel thuis als op school – en is als een tolk voor hem. Zij leert hem bewust en onbewust zien en begrijpen, iets wat hij van nature niet kan. Bovendien heeft ze door haar kennis over autisme te combineren met haar tekentalent een belangrijke bijdrage geleverd aan deze *Pubergids*. Van groot belang was ook de steun van mijn echtgenoot, die ons altijd stimuleert en ons de ruimte geeft om ons te ontwikkelen en te zijn wie we zijn.

Ten slotte: ik maak liever geen onderscheid tussen Aspergersyndroom, PDD-NOS, et cetera. Ik schaar alles wat in het autismespectrum valt met een gemiddeld IQ onder de algemene term autisme. Dit boek is dus bedoeld voor pubers met autisme wiens niveau hoog genoeg is voor de middelbare school.

Inhoud

1
Inleiding

Voor wie is dit boek bestemd?

Dit boek is in de eerste plaats voor pubers met autisme met een gemiddeld IQ; zij die naar de middelbare school gaan. Maar natuurlijk kunnen ook hun ouders, begeleiders, docenten en anderen die geïnteresseerd zijn in autisme wijzer worden van het lezen van deze *Pubergids*.

Waarom zou je als puber met autisme de *Pubergids* moeten lezen?

Als je een diagnose hebt binnen het autistisch spectrum of als je denkt dat je autisme hebt, is het handig om zelf op zoek te gaan naar tips hoe je daar het beste mee om kunt gaan. Het is namelijk best moeilijk om te bepalen welke rol autisme speelt in jouw leven – het autisme is een deel van jou, maar waarschijnlijk ben je ook benieuwd waarin jij verschilt van mensen die geen autisme hebben. En waarschijnlijk wil je weten waarin jij verschilt van anderen met autisme, want niemand heeft precies dezelfde autistische kenmerken als jij.

Waarschijnlijk hebben je ouders of begeleiders je op allerlei manieren geholpen om je makkelijker te laten functioneren. Dat is hartstikke fijn, maar wordt het niet eens tijd dat je dat zelf gaat leren? *Jij weet zelf het beste waar je moeite mee hebt.*

Nu je ouder begint te worden, zul je vaker in situaties komen waarin je zelf oplossingen moeten kunnen vinden. Om dan de juiste oplossing te kunnen kiezen, moet je een eigen stem krijgen en niet volledig afhankelijk blijven van de mensen om je heen. En waarschijnlijk heb je er ook behoefte aan om onafhankelijker te worden, en minder om hulp te vragen. Als je zelf weet wanneer je autisme je blokkeert, kun je ook beter aangeven wanneer je bepaalde hulp nodig hebt. *Dat wil natuurlijk niet zeggen dat je het vanaf nu allemaal alleen moet gaan doen.*

Wat kun je van dit boek leren?

De *Pubergids* is een handboek, waarin verschillende onderwerpen aan bod komen: bijvoorbeeld de invloed van de puberteit op je lichaam, de verschillen tussen mensen met en zonder autisme en de vraag of je vertelt dat je autisme hebt.

Omdat je als puber een groot deel van je tijd op school doorbrengt, komt ook het kiezen van een middelbare school aan bod. En je kunt je met de *Pubergids* voorbereiden op alle veranderingen die de overgang van de basisschool naar de middelbare school met zich mee brengt. Daarnaast lees je wat jij en je ouders kunnen doen om op je nieuwe school de juiste hulp te krijgen.

Bij de middelbare school hoort natuurlijk een agenda. Ik bespreek hoe je daar mee omgaat en hoe je huiswerk en langlopende opdrachten kunt plannen. Voor het leren van woordjes, het lezen en leren van teksten, begrippen en definities en het maken van aantekeningen en boekverslagen zijn er hulpschema's en stappenplannen, zodat je structuur en overzicht aan kunt brengen. Je vindt adviezen voor stages en tips voor een baantje of vakantiewerk.

Als een kind blind is, leert het braille lezen en met een blindenstok lopen om zelfstandig te kunnen functioneren. Als je autistisch bent en niet of nauwelijks lichaamstaal kunt 'lezen', is er weinig mogelijkheid om dit te leren – in trainingen voor sociale vaardigheden komt lichaamstaal nauwelijks aan bod, terwijl het zo belangrijk is. Daarom heb ik een apart hoofdstuk gewijd aan het ontcijferen van lichaamstaal.

Belangrijke onderwerpen als vriendschap en de liefde komen aan bod, maar ook pesten. En vind je feesten ingewikkeld? Dan kun je suggesties vinden om die een stuk leuker te maken.

En als je daarna over de gevaren hebt gelezen die in de puberteit op de loer liggen en je hebt verdiept in het besteden van je vrije tijd, kom je uiteindelijk terecht bij het laatste hoofdstuk, dat je verder op weg helpt naar zelfstandigheid.

Hoe werk je met de *Pubergids*?

Natuurlijk kun je beginnen bij het volgende hoofdstuk en doorlezen tot het einde. Maar als je nu met bepaalde vragen zit of erg nieuwsgierig bent naar een bepaald onderwerp, kun je ook in de inhoud zoeken en de hoofdstukken lezen waar je op dat moment behoefte aan hebt. Daarvoor is dit boek een *gids* – ik hoop dat je antwoorden vindt!

2
De omgekeerde wereld

Toen ik op de basisschool zat, kwam er een bruin meisje bij mij in de klas. Zij was het eerste donkere kind op school en iedereen vond haar bijzonder. In Nederland woonden toen nog weinig mensen met een andere huidskleur, nu is dat heel gewoon.

Toen jij op de basisschool zat, was je waarschijnlijk een van de weinige autistische kinderen, en omdat je net iets anders bent, was jij voor anderen bijzonder. Nu weten we van veel meer kinderen dat ze autisme hebben en is het niet meer zo ongewoon. Je bent dus echt niet alleen, ook al voelt dat misschien wel eens zo. Er zijn veel mensen zoals jij.

Natuurlijk heeft maar een minderheid van de mensen autisme. Als het nou omgekeerd was en de meerderheid van de mensen zou autistisch zijn, dan zou de wereld er vast anders uitzien – in ieder geval een stuk rustiger.

Er zijn veel boeken geschreven over hoe mensen met autisme denken en doen en hoe ze geholpen kunnen worden in een wereld waarin de meerderheid niet autistisch is. Het gekke is dat de meeste van deze boeken geschreven zijn door mensen die zelf geen autisme hebben. En bedenkelijk is dat er in die boeken vaak van uit wordt gegaan dat de eigenschappen van mensen met autisme minder 'waard' zijn dan die van mensen zonder autisme, alleen maar omdat mensen met autisme in de minderheid zijn. Er wordt van de minderheid met autisme verwacht dat zij zich aanpast aan de meerderheid zonder autisme.

Autisme is iets wat je hebt meegekregen, net als de kleur van je haar en je ogen. Je autisme kleurt elke beleving, waarneming, gedachte en emotie. Het is met je verbonden en je kunt het niet scheiden van jezelf – het is onderdeel van alles wat jou zo uniek maakt. De kleur die autisme aan je leven geeft, kan soms lastig zijn, maar ook prachtig. Je kunt dus beter bevriend raken met je autisme in plaats van ertegen vechten. Iedereen is anders, daar is niets mis mee. Je hebt veel prachtige eigenschappen waar je geweldige dingen mee kunt doen. Gebruik ze!

Hans Asperger, een kinderarts uit Oostenrijk naar wie het syndroom van Asperger is genoemd, schreef daarover:

> Getalenteerde autistische mensen kunnen zulke hoge posities innemen en zo succesvol zijn dat je zou kunnen besluiten dat alleen zulke mensen in staat zijn tot bepaalde prestaties... Hun onwrikbare vastberadenheid en indringende intellectuele vermogens, een deel van hun spontane en originele mentale activiteit, hun beperkte actieradius en doelbewustheid zoals dat tot uiting komt bij hun speciale interesses, kunnen van onschatbare waarde zijn om uitzonderlijke prestaties te leveren in de door hun gekozen gebieden.
>
> – Clare Sainsbury
> *Marsmannetje op school*

Jij kunt niet van andere mensen verwachten dat ze zich autistisch gaan gedragen vanwege jou – en andere mensen mogen niet van jou verlangen dat je je niet autistisch gedraagt. Veel mensen in je omgeving zullen hun best doen om je te snappen, en jij doet vast ook erg je best om de wereld om je heen te doorgronden. Maar een van de lastigste kenmerken van autisme is dat je je eigen autisme niet kunt zien. Daarom is het handig om te weten hoe mensen met autisme tegen de wereld aankijken en hoe mensen zonder autisme dat doen. Zo kan het allemaal wat duidelijker voor je worden, en kun je een idee krijgen van het verschil in denken tussen jou en mensen zonder autisme.

We zullen de verschillende eigenschappen eens naast elkaar zetten.

Tabel 2.1: De verschillen tussen mensen met autisme en mensen zonder autisme

Mensen met autisme	**Mensen zonder autisme**
Zijn heel betrouwbaar	Kunnen liegen en doen alsof
Hebben vaak een buitengewoon geheugen voor details, zoals namen, data of schema's	Hebben vaak moeite om dingen gestructureerd te onthouden
Kunnen luisteren zonder te oordelen	Hebben doorgaans snel een oordeel en een mening klaar
Praten zonder de ander te willen beïnvloeden	Bedoelen vaak iets anders dan ze zeggen; proberen anderen te overtuigen en aan hun kant te krijgen
Praten graag gericht over iets	Kunnen inhoudsloze gesprekken over onzin voeren
Houden van woordspelingen en maken daar grappen over die mensen zonder autisme vaak niet begrijpen	Vinden onverwachte wendingen grappig

Mensen met autisme	Mensen zonder autisme
Bedenken originele, unieke oplossingen	Denken meestal volgens bepaalde patronen
Zijn graag op zichzelf	Zoeken graag gezelschap van anderen
Zijn trouw aan hun eigen opvattingen	Kunnen zich makkelijker aanpassen aan de mening van anderen
Zijn zichzelf en doen geen moeite om indruk te maken op anderen	Proberen indruk op elkaar te maken om complimenten te krijgen
Gaan sociale contacten liever uit de weg	Hechten veel belang aan sociale contacten, die ze in stand houden met een ingewikkeld systeem van onuitgesproken regels en bedekte toespelingen
Krijgen moeilijk grip op de inhoud van gesprekken vanwege de verborgen betekenissen, vaagheden en beeldspraken omdat ze dingen letterlijk opvatten	Weten wat anderen bedoelen, omdat ze 'tussen de woorden door' kunnen luisteren, communiceren niet in directe taal
Hebben moeite emoties en bedoelingen van anderen te doorgronden	Kunnen emoties van gezichten en lichaamshouding aflezen
Houden van structuur	Zijn chaotisch
Zeggen wat ze bedoelen	Zenden dubbele boodschappen uit
Zijn prikkelgevoelig	Kunnen zich voor prikkels afsluiten
Beschikken over beperkt aantal vaardigheden om anderen te kunnen begrijpen	Beschikken over veel vaardigheden om anderen te kunnen begrijpen
Hebben moeite gesproken boodschappen snel te begrijpen	Begrijpen gesproken boodschappen snel
Kunnen zich het best concentreren op een taak tegelijk	Kunnen meerdere opdrachten tegelijk uitvoeren
Zien de details waaruit de wereld is opgebouwd	Zien details als onderdeel van een groter geheel

In het boek *Denken als dieren* vertelt Temple Grandin (een wetenschapster met autisme) dat zij zich het brein voorstelt als het kantoor van een groot bedrijf, met telefoons, faxen, e-mail, koeriers, mensen die rondlopen en praten; dus met talloze manieren waarop boodschappen van de ene plaats naar de andere komen. Het autistische brein ziet zij als hetzelfde kantoor van het grote bedrijf, maar de enige manier waarop de mensen met elkaar kunnen communiceren is per fax. Er zijn geen telefoons, geen e-mails, geen koeriers, en geen mensen die rondlopen en met elkaar praten. Er zijn alleen faxen. Daardoor komen er veel minder berichten aan en loopt de boel soms in het honderd. Sommige berichten komen prima door, andere raken vervormd als de fax iets verkeerds print of het papier vast komt te zitten, en weer andere komen helemaal niet aan.

Ieder mens ziet er anders uit en daar doen we nooit moeilijk over. Maar als je tot een groep behoort die anders is, wil iedereen ineens weten waarin je anders bent. En soms weet je dat zelf niet eens. Als je blind bent, is het heel moeilijk te snappen hoe het is om te zien. Als je doof bent, kun je je moeilijk voorstellen wat geluid is. En als je autisme hebt, is het moeilijk om te weten hoe andere mensen denken en de wereld beleven.

In tabel 2.1 zag je dat de verschillen tussen mensen met en zonder autisme eigenlijk allemaal betrekking hebben op de manier waarop we onze omgeving beleven. In essentie gaat het om een uitwisseling van eigenschappen en kunnen we veel van elkaar leren – de een is niet beter dan de ander. Door jezelf beter te leren kennen, zul je ook de verschillen gaan zien in handelen en denken tussen mensen met en zonder autisme. Zo kun je ontdekken waarin je verschilt van anderen en zij van jou.

Als je het gevoel hebt dat alles voortdurend mis gaat en je begrijpt maar niet waarom, dan is het nu tijd om eraan te gaan werken. Oefen en ontwikkel waar je goed in bent – zoals de elektricien in het volgende voorbeeld – en probeer het maximale te halen uit eventuele tekortkomingen.

> 'Altijd als we bij een storingsklus komen, zoek ik de hele stroomkast na op een los draadje of contactje, maar mijn maatje met autisme ziet het altijd meteen. Ik ben daar best jaloers op. Hoe doet hij dat toch?'

Volgens Tony Attwood, een autoriteit op het gebied van autisme, zijn sommige mensen zelfs zo onder de indruk van de speciale eigenschappen en talenten van mensen met autisme dat ze denken dat zij de volgende fase van de menselijke evolutie vertegenwoordigen. In een artikel van Ted de Hoog in *De Groene Amsterdammer* zei hij daarover: 'Zij zouden de mensen kunnen zijn die ons helpen in de 21ste eeuw. Een interessante theorie, vindt u niet?' Dit is vooral interessant omdat steeds meer mensen de diagnose autisme krijgen – de mensheid zou hun speciale vaardigheden in de toekomst goed kunnen gebruiken!

Vertellen dat je autisme hebt?!

> Toen onze zoon Ruben vier jaar was, kreeg hij de diagnose autisme. Toen hij zes à zeven jaar was, merkten we dat hij zich er steeds vaker van bewust was dat de omgeving hem niet begreep en dat hij zijn omgeving niet begreep. Hij dacht dat de omgeving hem dwarsboomde en legde daarom de schuld steeds bij anderen en niet bij zichzelf. Het 'anders' zijn drong zich steeds meer aan hem op. Hij zat op een speciale school en als hij een 'vriendje' mee naar huis nam, was hij wanhopig als hij niet wist wat hij nou

precies met zo'n vriendje moest doen. Wij vonden het tijd om hem te vertellen over zijn autisme. Dit was een proces van maanden, waarbij we benoemden en benadrukten waar hij erg goed in was en terloops vertelden waar hij minder goed in was. Hij moest zichzelf beter leren kennen en dat probeerden we te bereiken door hem iedere keer opnieuw een spiegel voor te houden. We wilden hem leren dat hij anders is maar zeker niet minder; zijn anders zijn maakt hem eigenlijk ook wel heel speciaal.

Op een gegeven moment vroeg Ruben of zoals hij was, ook een naam had en dat hebben we hem verteld. Vanaf dat moment kwam alles in een stroomversnelling. Bij veel gedrag wilde hij weten of dat 'gewoon' was of door zijn autisme kwam. Wij hebben geprobeerd zijn vragen zorgvuldig te beantwoorden en verdere uitleg te geven. Het gaf hem een ongekende rust.

Het was duidelijk dat Ruben bezig was zich een beeld te vormen van zijn handicap en na verloop van tijd ging hij daar ook naar handelen. Als een spelsituatie te moeilijk voor hem was en hij in het verleden onacceptabel gedrag zou hebben vertoond, zei hij nu bijvoorbeeld: 'Door mijn autisme snap ik dit niet, zullen we het op mijn manier proberen?' Met verbazing zag ik dat zelfs kinderen van zijn eigen leeftijd, die geen idee hadden waar hij het over had, dit accepteerden.

Ik ben ervan overtuigd dat kinderen en jongeren er recht op hebben de feiten van hun handicap te kennen. Het geeft ze handvatten om te leren met hun handicap om te gaan.

– Caroline van der Velde
Oudergids autisme

Ik vind nog steeds dat ouders en anderen volledig open moeten zijn tegen jongeren over autisme en ik hoop dat jij die duidelijkheid inmiddels ook hebt. Als jij weet wat er aan de hand is, dan komt namelijk de volgende stap: hoe ga je er zelf mee om en hoe stel je je op tegenover anderen? Je zult voor een paar vragen komen te staan:

- Vertel je in je omgeving dat je autisme hebt?
- Aan wie vertel je het?
- Wanneer vertel je het?
- Hoe vertel je het?
- Vertel je alle ins en outs?

Het is natuurlijk je eigen beslissing of en aan wie je vertelt dat je autisme hebt, maar over het algemeen werkt het heel positief. Mensen zullen meer rekening met je houden en minder snel een oordeel hebben.

Ruben is nu zestien jaar en ik heb de voorgaande vragen aan hem voorgelegd, zijn antwoorden kunnen je een idee geven hoe je dit goed aan kunt pakken.

Vertel je in je omgeving dat je autisme hebt? Eerst vertelde ik het gewoon aan iedereen, maar sommige mensen gingen dan ineens heel kinderachtig tegen me doen en soms zelfs harder praten. Iemand zei ook: 'Wat raar, je kijkt me gewoon aan.' Iemand anders zie: 'Je ziet het helemaal niet aan je', en ik kreeg nog wel meer van dat soort opmerkingen. Nou, daar word je niet blij van, dus nu vertel ik het niet meer aan iedereen.

Aan wie vertel je het? De meeste mensen in mijn omgeving, zoals mijn familie en de buren, weten het natuurlijk al. Nieuwe vrienden en andere mensen die ik ontmoet met wie ik vaker te maken krijg, vertel ik het na een tijdje. Maar ook niet altijd, want de buschauffeur, een verkoopster in een winkel of iemand die mij de weg vraagt of zo heeft er niks aan om te weten dat ik autisme heb. Docenten moeten het natuurlijk wel weten, omdat ze met me werken en me beter kunnen helpen als ze weten hoe ik ben. Trouwens, als je het aan iemand op school vertelt, weet je hele klas het zo.

Wanneer vertel je het? Als ik merk dat ik mensen niet goed begrijp of zij mij niet. De school wist het voor ik aangenomen werd, maar toch ga ik soms na de les wel eens naar een docent om het nog eens vertellen, omdat ze het vergeten zijn.

Hoe vertel je het? Ik zeg niet altijd hetzelfde, maar vertel de dingen die op dat moment belangrijk zijn. Ik zeg altijd dat ik autisme heb en de ene keer zeg ik erbij dat ik niet altijd goed contact kan maken, of dat ik veel dingen letterlijk neem. Een andere keer zeg ik dat ik niet zo snel reageer of dat ze alles duidelijk moeten zeggen. De school weet natuurlijk welke dingen ik moeilijk vind.

Vertel je alle ins en outs? Nee hoor, de meeste mensen willen dat ook helemaal niet weten. Als ze het vragen, doe ik het wel, maar niet zo uitgebreid.

3
Puberteit

Het kan dat je op de basisschool al seksuele voorlichting en uitleg over de puberteit hebt gekregen – die les waarbij de meisjes giebelden en de jongens stoer gingen doen. In ieder geval komt het op de middelbare school altijd aan bod. Misschien weet je er dus al genoeg over; dan kun je dit hoofdstuk gewoon overslaan.

Wat is puberteit?

De puberteit is een periode waarin je hormonen ervoor zorgen dat je je ontwikkelt van kind tot volwassene. Je kunt je dan overal onzeker over voelen, bijvoorbeeld over je uiterlijk, je gewicht en wat anderen van je denken.

Op lichamelijk vlak is de puberteit voor autistische en niet-autistische jongeren natuurlijk hetzelfde. Alleen vinden jongeren met autisme het vaak moeilijker om met alle veranderingen die in hun lijf plaatsvinden om te gaan, zeker als het allemaal snel gaat. Als je van tevoren weet wat je te wachten staat, kun je je er beter op voorbereiden.

Wanneer begint de puberteit?

Wanneer je precies in de puberteit komt, valt niet te voorspellen. Het is iets wat ongemerkt begint, en ineens zul je merken dat het zover is. Meisjes beginnen zich in het algemeen eerder te ontwikkelen dan jongens – bij hen begint de puberteit gemiddeld rond hun elfde jaar, bij jongens zo rond hun veertiende. Het moment waarop de ontwikkeling van je lichaam begint, is voor niemand hetzelfde, dat kan soms echt een paar jaar eerder of later zijn dan bij leeftijdsgenoten. Moeder Natuur bepaalt het en die zal het niet eerst even met je overleggen.

Wat gebeurt er in de puberteit met je lijf?

Alles wat er met je lijf gebeurt tijdens de puberteit, blijft natuurlijk niet onopgemerkt. Iedere keer als je in de spiegel kijkt, lijk je er weer een beetje anders uit te zien en dat kan soms erg verwarrend zijn. Ik zal in het kort beschrijven wat er precies met je gebeurt.

Het einde van de kinderjaren wordt bij jongens meestal aangekondigd door het groter worden van de teelballen, balzak en penis. Hun lichaam gaat zaadcellen aanmaken en ze krijgen schaamhaar. Ook krijgen ze zogenaamde 'natte dromen' – nachtelijke zaadlozingen waar ze zich vaak voor schamen, omdat het net lijkt of je in bed hebt geplast. Niet nodig natuurlijk, maar je kunt het wel zo voelen. Jongens krijgen ook 'de baard in de keel': daarmee wordt bedoeld dat hun stem eerst een tijd regelmatig overslaat en daarna steeds lager wordt. Ze krijgen echte baardgroei en zullen zich moeten gaan scheren.

Ook meisjes beginnen schaamhaar te krijgen. Hun borsten gaan groeien en ook hun baarmoeder, al kun je dat natuurlijk niet zien. Ze worden ongesteld en balen daar vaak behoorlijk van, want ook al weten ze dat ze het om de vier weken kunnen verwachten, het komt eigenlijk altijd ongelegen en ze willen niet graag dat anderen het merken. Ook kunnen ze er soms flink buikpijn van hebben en wat sneller chagrijnig zijn.

Pubers groeien ook behoorlijk, en er is steeds een ander deel van het lichaam aan de beurt om te groeien. Handen en voeten gaan meestal het snelst, waardoor die ineens extra groot lijken. Maar je wordt niet alleen langer en zwaarder. Jongens krijgen ook meer spieren en bredere schouders en bij meisjes zie je zachte vrouwelijke rondingen ontstaan. Omdat meisjes eerder gaan groeien dan jongens, zijn ze vaak bang 'een reus tussen de dwergen' te worden. Jongens denken vaak het omgekeerde: omdat ze later een groeispurt krijgen, zijn ze bang 'een dwerg tussen de reuzen' te blijven. Maar je snapt het misschien al: als iedereen klaar is met groeien, zullen de verschillen in lengte niet veel groter zijn dan voordat de puberteit begon.

En dan komen er nog eens die vervelende puistjes bij, die geen verschil maken tussen jongens en meisjes. Voor puistjes zijn allerlei middeltjes te koop, maar het belangrijkste is toch wel dat je je huid goed schoonhoudt door dagelijks te wassen met water en zeep. Meisjes moeten ook hun make-up goed verwijderen. Als je het niet doet, raken je poriën verstopt, en daaruit ontstaan puistjes. En, hoe je ze ook haat, knijp ze nooit uit! Je houdt er dan ook nog eens littekens aan over.

Vanaf het moment dat je okselhaar krijgt, soms wat eerder, ga je een ander soort zweet produceren en dat ruikt niet lekker. Was dus elke dag je lichaam en gebruik deodorant, die is gewoon in allerlei winkels te koop. Deo spuiten op oksels die al naar zweet ruiken, heeft helemaal geen zin, gebruik daarom deodorant op een schone huid. Doe het liefst elke dag schone sokken en ondergoed aan, en ook een schone blouse, T-shirt of trui.

Puber

Wat gebeurt er in de puberteit met je bewustzijn?

Ook je manier van denken verandert in de puberteit. Je wilt niet meer als een klein kind behandeld worden en accepteert niet alles meer wat je ouders of docenten zeggen: je gaat je afvragen of je het eens bent met de dingen die je hoort en ontwikkelt een eigen mening en eigen identiteit. Je komt los van je ouders en wilt steeds meer dingen zelf gaan bepalen. Als puber vindt je vaak dat je ouders je niet begrijpen en je in de weg zitten. Daardoor ga je soms misschien rot tegen je ouders doen, terwijl je dat toen je jonger was nooit deed. Je kunt dan behoorlijk chagrijnig tegen ze doen: je vindt het stom om nog met je vader te voetballen en je hebt ook geen zin meer om alles met je moeder te bespreken.

Voor je ouders is het ook best moeilijk dat je opeens puber wordt en geen kind meer bent. Eigenlijk willen ze je juist helpen, maar dat is nou net wat jij niet wilt. Je hebt soms het gevoel dat jij je ouders op moet opvoeden in plaats van je ouders jou. Je kunt je soms gruwelijk ergeren aan hun kleding en hun gezeur: 'Maak je huiswerk', 'Ruim je kamer op', 'Heb je je sleutels bij je?'. Dan kun je denken: jemig, laat me nou gewoon met rust, het zijn mijn zaken. Maar als je eerlijk bent, weet je dat ze soms ook wel gelijk hebben: als je je kamer niet opruimt, is de kans groot dat je niets meer kunt vinden; als je je huiswerk niet maakt, krijg je problemen op school en loop je de kans dat je blijft zitten – en daar zit je ook niet op te wachten. En als je zonder sleutels van huis gaat, sta je bij thuiskomst voor een dichte deur.

Eigenlijk heb je gewoon het liefst dat je ouders je met rust laten. Dat is een heel natuurlijk proces dat nodig is om uiteindelijk een zelfstandige volwassene te worden die weet wat hij wil en kan. Er komt een moment dat je alle dingen waar je ouders over zeuren gewoon vanzelf doet, en dan is ook het zeuren over.

Als je in de puberteit komt, wordt je interesse in seksualiteit groter. Soms is het net of je aan niets anders kunt denken. Je gaat daardoor jongens en meisjes die je al jarenlang kent, ineens heel anders zien. Ook met die gevoelens moet je leren omgaan. Hierover staat meer in hoofdstuk 13.

4
Op weg naar de middelbare school

Als je in de laatste klas van de basisschool komt, heb je een lange weg afgelegd, die niet altijd even makkelijk zal zijn geweest. De een heeft op het speciaal basisonderwijs gezeten, de ander misschien op een reguliere basisschool. Naar welke basisschool je ook bent gegaan, uiteindelijk ga je allemaal naar een middelbare school.

Op de basisschool zul je waarschijnlijk allerlei testen en toetsen hebben gedaan om te bepalen wat je niveau is en naar welk soort middelbare school je het best kunt gaan. Als je autisme hebt, kun je naar een vso-school (Voortgezet Speciaal Onderwijs, in België buitengewoon secundair onderwijs) of naar een reguliere school.

Extra hulp

Even wat saaie kost die wel belangrijk is. Het is handig om dit ook aan je ouders te laten lezen.

SPECIAAL ONDERWIJS

Het kan dat een VSO-school (in België buitengewoon onderwijs) voor jou het beste is, omdat daar veel extra hulp en begeleiding gegeven wordt, er minder prikkels zijn en er minder jongeren in een klas zitten. Maar om op zo'n school te komen heb je speciale toestemming nodig (van een commissie voor indicatiestelling), en er is meestal een lange wachtlijst. Bovendien bieden niet al deze scholen onderwijs aan op alle opleidingsniveaus. Uiteindelijk kan het dus dat je wel toestemming hebt maar niet terecht kunt op een dergelijke school, omdat de school niet aansluit bij jouw niveau. Dan zul je dus toch naar een 'gewone' middelbare school gaan.

EXTRA HULP IN HET REGULIER ONDERWIJS

Als je niet naar een school voor speciaal onderwijs kunt of wilt, kun je in aanmerking komen voor extra geld om je te helpen op een gewone middelbare school. Dat noemen ze voor het gemak 'de rugzak', maar officieel heet dat 'leerlinggebonden financiering' (LGF). Er is dan geld beschikbaar voor de school om jou extra begeleiding te geven. Meer informatie is te vinden op de website www.oudersenrugzak.nl of bij een Regionaal Expertisecentrum (REC) bij jullie in de buurt. Achter in het boek staan alle websites nog eens herhaald en worden nog meer nuttige sites genoemd.

Ook in België is het mogelijk om naar een reguliere school te gaan en daar extra begeleiding te krijgen, de zogenaamde GON-begeleiding. Meer informatie hierover is te vinden op de site www. autismevlaanderen.be en bij de Centra voor Leerlingbegeleiding (www.ond.vlaanderen.be/clb).

LWOO

Als je vmbo-niveau hebt, kun je ook leerwegondersteunend onderwijs volgen (lwoo). Lwoo is bedoeld voor leerlingen met vmbo-niveau die te kampen hebben met leerachterstanden of gedragsproblemen. Je volgt hierbij 'gewoon' vmbo-onderwijs, maar je krijgt extra begeleiding en zit in kleinere klassen. Hierna kun je gewoon doorstromen naar het mbo.

EXTRA HULP BUITEN SCHOOL

Als je buiten schooltijd ook nog extra hulp nodig hebt, bijvoorbeeld huiswerkbegeleiding, dan kun je ook nog aanspraak maken op een persoonsgebonden budget. Je ouders kunnen een persoonsgebonden budget, PGB, aanvragen bij Stichting Jeugdzorg (www.jeugdzorg.nl).

In België bestaat een vergelijkbare regeling, het persoonlijke-assistentiebudget, het PAB. Informatie vind je op www.vlafo.be.

De keuze voor een school

Het is heel erg belangrijk dat je op tijd begint met het kiezen van een middelbare school. Ga al vanaf groep zeven met je ouders naar open dagen. Het is belangrijk dat je alvast weet wat de middelbare school voorstelt. Het is natuurlijk heel handig als je een ouder broertje of zusje hebt dat al op 'de middelbare' zit, zodat je door de dagelijkse verhalen al een indruk hebt van hoe het eraan toe gaat. Je moet op een aantal dingen letten bij de keuze voor een school.

KLEINSCHALIGHEID

Het is voor jou het fijnst als een school maar weinig leerlingen heeft. Er zijn grote scholen met zo'n 1500 tot 2000 leerlingen en kleinere scholen met ongeveer 500 tot 1000 leerlingen. Sommige scholen met veel leerlingen zijn opgedeeld in aparte afdelingen, die soms zelfs een eigen ingang hebben en aparte kantines om in te pauzeren. Eigenlijk zijn dat kleinere scholen binnen een groot gebouw of meerdere gebouwen. Dan moet je natuurlijk niet kijken naar het totaal aantal leerlingen, maar naar het aantal dat dezelfde richting doet als jij.

EEN OVERZICHTELIJK GEBOUW

Op de middelbare school loop je ieder lesuur naar een ander lokaal en het is daarom heel belangrijk dat de route van het ene naar het andere lokaal logisch en overzichtelijk is, vooral als je het moeilijk vindt om je te oriënteren. Het is voor jou het prettigst als al je lessen in hetzelfde gebouw worden gegeven, dus niet in meerdere gebouwen. Alleen gym wordt natuurlijk vaak in een ander gebouw gegeven, of buiten.

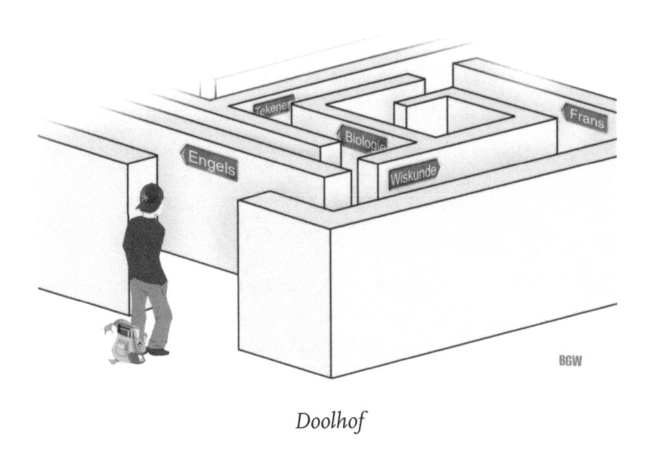

Doolhof

Als je de lokalen binnenkomt, moeten ze een rustige indruk op je maken. Als je meteen duizelig wordt van de plaatjes op de muren en allerlei dingen die overal staan, zul je je er waarschijnlijk niet goed kunnen concentreren.

AUTISMEKENNIS

Vraag aan meerdere docenten (of laat het je ouders vragen) wat ze weten over autisme en of er binnen de school speciale begeleiding mogelijk is. Als je het aan verschillende docenten vraagt, krijg je ook verschillende antwoorden die je met elkaar kunt vergelijken. Op een open dag doet de school er vaak alles aan om goed over te komen bij nieuwe leerlingen en hun ouders. Vraag daarom ook eens aan de leerlingen die er rondlopen hoe zij het vinden op school, wat ze leuk vinden, maar ook wat ze niet leuk vinden. Jongeren zijn daar meestal heel eerlijk in en ze willen je waarschijnlijk ook wel rondleiden.

Als je een school hebt gevonden die je echt aanspreekt, is het van belang dat je ouders en jij – vóór je je aanmeldt – een gesprek met de schoolleiding hebben over je autisme en wat de school jou bieden kan. In zo'n gesprek kan duidelijk worden of ze bereid zijn zich in je problemen te verdiepen en of de school genoeg over autisme weet om je goed te kunnen begeleiden. Als de school niet bereid is je aan te nemen, probeer dan niet om alsnog aangenomen te worden, hoe leuk de school je ook lijkt. *Het zal uiteindelijk niets worden.*

ONDERWIJSINSPECTIE

De onderwijsinspectie beoordeelt scholen en houdt toezicht op de kwaliteit van het onderwijs. Al die beoordelingen kun je zien op www.onderwijsinspectie.nl. Daar vind je natuurlijk niet alles wat je zou willen weten, maar je wordt er allicht wijzer van.

Ook de Vlaamse onderwijsinspectie heeft een uitgebreide en informatieve site, www.onderwijsinspectie.be. Daar zijn de beoordelingen van individuele scholen niet in te zien, maar wel op te vragen.

Wat is er allemaal anders op de middelbare school?

Een heel kort antwoord is: *alles*, maar dan weet je nog niets, dus laten we het maar eens per onderdeel bekijken – uiteraard zijn er ook weer verschillen tussen scholen, dus het kan dat het op jouw school weer net iets anders gaat dan ik hier beschrijf.

LESUREN

Op de middelbare school blijken de 'uren' niet uit zestig minuten te bestaan maar uit bijvoorbeeld vijftig, vijfenveertig of veertig minuten, dat verschilt per school. Met deze 'uren' wordt de tijd bedoeld dat een *lesuur* duurt waarin je één bepaald vak krijgt – soms best verwarrend. Soms heb je een 'blokuur': twee lesuren achter elkaar hetzelfde vak.

Als je 's ochtends te laat bent, mag je meestal de les niet meer in. Vaak moet je dan een 'te laat briefje' gaan halen bij de administratie of de conciërge en moet je je de volgende dag bijvoorbeeld eerder melden.

DOCENTEN EN EEN MENTOR

Op de middelbare school heet de meester of de juf 'docent' of 'leraar'. Je zult je docenten misschien ook bij de achternaam aanspreken, met 'meneer' of 'mevrouw' ervoor. Elk vak heeft zijn eigen lokaal en eigen docent. Dat wil dus zeggen dat je met alle leerlingen na een lesuur je spullen weer inpakt en naar een volgend lokaal loopt. Daar zit de volgende docent van een ander vak op je te wachten.

Je hebt veel verschillende docenten, maar je hebt ook een mentor (als het een man is) of mentrix (als het een vrouw is) of klassenleraar. De mentor is een van je docenten die speciaal is aangewezen om jouw klas te begeleiden.

Een mentor:
- probeert van de klas een echte groep te maken;
- probeert in de gaten te houden of alle leerlingen het naar hun zin hebben;
- praat met een leerling als er een probleem is;
- let op je vorderingen en resultaten bij alle vakken;
- kan bemiddelen als je een probleem hebt met een docent;
- kan bemiddelen als er problemen zijn tussen leerlingen onderling;
- is de contactpersoon tussen school en ouders;
- leidt de ouderavonden;
- leidt de klas op schoolfeesten en bij sportactiviteiten;
- overlegt met de andere docenten van de klas.

ROOSTER

Je werkt op de middelbare school met een rooster dat precies aangeeft op welk uur je welk vak hebt, in welk lokaal en van welke docent. Soms heb je een uur vrij, meestal heet dat een 'tussenuur'. En je hebt natuurlijk pauzes. Je bent waarschijnlijk ook niet meer elke dag om dezelfde tijd vrij, zoals op de lagere school. In de eerste twee jaar zit je meestal met je eigen klas, maar daarna zul je bij sommige vakken niet met je eigen klas zitten, omdat niet iedereen dezelfde vakken kiest – je zit dan bij de verschillende vakken dus met verschillende leerlingen. En als een docent ziek is, heb je een onverwacht tussenuur.

CIJFERS EN EEN RAPPORT

Misschien kreeg je ze ook al wel op de lagere school, misschien niet. In ieder geval zul je ze nu wel gaan krijgen; cijfers van 1 tot 10 voor proefwerken en opdrachten – hoger dan een 5,5 is voldoende, lager is onvoldoende. In plaats van cijfers kun je ook beoordelingen van 'onvoldoende' tot 'zeer goed' krijgen.

Ongeveer drie keer per jaar zul je een rapport krijgen met voor elk vak een cijfer of beoordeling tussen 'onvoldoende' en 'zeer goed'. Het rapportcijfer is gebaseerd op je resultaten over de afgelopen periode. Soms bevat een rapport ook nog een schriftelijke toelichting per vak of een algemene toelichting van je mentor of je klassenleraar.

BEGELEIDING

In de brugklas krijg je meestal begeleidingslessen van je mentor. Je leert daar hoe het allemaal werkt op school en hoe je je huiswerk moet plannen. Het kan zijn dat je extra huiswerkbegeleiding nodig hebt. Er zijn scholen die dat aanbieden, maar soms gebeurt dat ook buiten de school. Voor pubers met autisme, leerproblemen, dyslexie, faalangst, of andere problemen, is er meestal een leerlingbegeleider. Die zorgt dat je de begeleiding krijgt die jij nodig hebt.

Als je een paar jaar op school zit, krijg je met de decaan te maken. Decanen helpen je de vakken te kiezen die je nodig hebt voor een toekomst die bij je past en ze begeleiden je bij het kiezen van een vervolgopleiding.

VERSCHILLENDE VAKKEN EN RICHTINGEN

Je krijg veel verschillende vakken en sommige vakken die je op de lagere school had, heten nu ineens anders. Taal heet Nederlands, rekenen wordt wiskunde en gymnastiek heet lichamelijke opvoeding. In tabel 4.1 staan een aantal vakken die je kunt verwachten. Al die vakken krijg je natuurlijk niet allemaal meteen het eerste jaar.

Tabel 4.1: Vakken op de middelbare school

Nederlands	Scheikunde
Engels	Biologie
Frans	Maatschappijleer
Duits	Techniek
Latijn	Informatiekunde
Grieks	Muziek
Geschiedenis	Tekenen
Aardrijkskunde	Handvaardigheid
Economie	Culturele en kunstzinnige vorming
Wiskunde	Lichamelijke opvoeding
Natuurkunde	Verzorging

De eerste klas van de middelbare school heet de brugklas. Alle lagere klassen samen worden meestal de onderbouw genoemd, de hogere klassen tot en met de eindexamenklas de bovenbouw.

Na een paar jaar op school moet je een bepaalde richting kiezen. Je gaat dan meer gespecialiseerde vakken volgen die je voorbereiden op een vervolgopleiding of een baan. Er zijn heel veel verschillende mogelijkheden, te veel om hier op te noemen. Meer informatie kun je vinden op www.kennisnet.nl en www.ond.vlaanderen.be.

5
De grote overstap naar de middelbare school

Jij hebt een middelbare school uitgekozen en wat ook belangrijk is: die middelbare school heeft voor jou gekozen. Dat wil dus zeggen dat ze vol goede moed zijn om jou te helpen in je ontwikkeling. Maar dat kunnen ze niet alleen. Jij zult ze daarbij moeten helpen. Autisme heeft vele gezichten en de problemen die het met zich meebrengt zijn voor iedereen anders, niemand is daarin hetzelfde. Je kunt dus niet van een school verwachten dat ze precies weten wat voor jou moeilijk is en waar ze je mee moeten helpen. Docenten kunnen al gauw denken dat jij alle kenmerken van autisme wel zult hebben, maar dat is natuurlijk niet zo – gelukkig! Het is dus van belang voor jouw mentor en docenten om te weten welke kenmerken bij jou een rol spelen. *Dat zul je zelf aan moeten geven!* In het begin kunnen je ouders of begeleider je daarbij helpen, maar uiteindelijk is het de bedoeling dat je dit zelf kunt gaan doen. Dat wordt jouw extra leerproces op de middelbare school.

Als docenten verstand hebben van autisme, weten ze dat iemand met autisme een of meer van de volgende kenmerken kan hebben. Het is slim als je aan de hand van dit lijstje voor jezelf en voor je school eens op een rijtje zet wat bij jou een rol speelt. Zo kun je op school aangeven waar je hulp bij nodig hebt en krijg je ook meer inzicht in jezelf. Docenten zullen dan kunnen begrijpen dat bepaald gedrag in sommige situaties geen onwil is, maar onmacht.

Het gaat om de volgende kenmerken:
- □ Het is moeilijk je in te leven in een ander.
- □ Je vindt het lastig om te begrijpen wat er zich in een groep afspeelt.
- □ Mensen praten soms zo vaag of abstract dat je niet precies weet wat er wordt bedoeld.
- □ Je vindt het moeilijk om te begrijpen wat mensen bedoelen als ze het niet concreet zeggen.
- □ Het herkennen en 'lezen' van lichaamstaal is moeilijk.
- □ Je vindt het fijn als er vaste regels zijn en alles steeds op dezelfde manier gebeurt. Veranderingen hoeven niet voor jou.
- □ Je bent heel erg geïnteresseerd in één ding en al het andere kan je niet erg boeien.
- □ Je bent niet echt geïnteresseerd in het leven van anderen.
- □ Je bent gevoelig voor geluid, geur of licht en raakt daardoor snel afgeleid.
- □ Je hebt net wat meer tijd nodig dan een ander om iets goed te snappen.
- □ Je bent beter in het zien van de details dan het grote geheel.
- □ Je kunt dingen goed leren, maar je vindt het moeilijk om ze toe te passen.
- □ Zelf je werk plannen en organiseren is moeilijk.
- □ Je blijft soms 'hangen' in een taak, omdat je niet precies weet wanneer hij nou af is.
- □ Je denkt graag in strakke patronen.
- □ Je geeft de voorkeur aan vaste routines en oplossingsprocedures.
- □ Je herhaalt dingen graag.

- □ Je weet niet zo goed hoe je met vrienden om moet gaan.
- □ Zelf je vrije tijd invullen is moeilijk.
- □ Je hebt moeite met het begrijpen van de humor van klasgenoten en docenten.
- □ Mondelinge informatie kun je moeilijk verwerken.
- □ Je kunt moeilijk omgaan met teleurstellingen.

Je kunt deze lijst met kenmerken natuurlijk zelf aanvullen. Je kunt een kruisje zetten bij de kenmerken die op jou van toepassing zijn. Dit lijstje is ook heel handig bij het toelatingsgesprek met de schoolleiding. De schoolleiding kan dan meteen inschatten of ze je kan helpen. Je ouders kunnen ook, samen met jou, in een verslag aan de school duidelijk maken wat het autisme voor jou betekent en waarbij jij hulp nodig hebt. Een voorbeeld van zo'n verslag vind je in bijlage A.

Het kan ook dat men niet goed begrijpt dat je op bepaalde gebieden veel beter kunt presteren dan op andere gebieden. Docenten vinden het dan moeilijk te geloven dat je op het ene vlak gehandicapt bent terwijl je op een ander vlak geen problemen hebt. *Blijf dus aangeven waar je problemen mee hebt.*

> Het is altijd van: 'Hij kan beter als hij maar wil.' Ik voelde me verdomd naar omdat ik er op den duur om uitgelachen werd. Het was een bron van... Ik kan het niet precies uitleggen, maar ik voelde me echt beroerd over mezelf en mijn vaardigheden... Ik werd aan mijn lot overgelaten.
>
> – Clare Sainsbury
> *Marsmannetje op school*

Extra hulp vragen

Docenten zijn vaak bereid om je te helpen en ze willen zich ook vast wel in autisme verdiepen, maar ze hebben niet altijd tijd of zin om daar dikke boeken over te lezen. Als je de indruk hebt dat er zulke docenten zijn, zou je, in overleg, de oneliners voor docenten uit bijlage B aan kunnen bieden. De volgende dingen kun je aan je docenten, mentor of leerlingbegeleider vragen als extra hulp:

- Een plattegrond van de school.
- Een buddy of maatje in de klas.
- Extra tijd bij proefwerken en het beantwoorden van vragen.
- Een vaste plaats in de klas, naast je buddy.
- Het gebruik van picto's of tekeningen.
- Een studiewijzer of weekplanner.
- Visualiseren van stappenplannen, studiewijzers of weekplanner.
- Huiswerk op het bord zetten.
- Instructies wat je moet doen bij lesuitval of een roosterwijziging.
- Mogelijke uitzonderingen, bijvoorbeeld bij samenwerken.
- Voorstructureren van teksten door belangrijke onderdelen te onderstrepen.
- Afspraken voor wat te doen als het niet lukt.
- Vereenvoudiging van ingewikkelde opdrachten, schema's en modellen.
- Werken op de computer.
- Een rustige plaats om te pauzeren, in plaats van het drukke schoolplein.

Een buddy

Het kan handig zijn als je een buddy hebt. Dit is een klasgenoot die bereid is je te helpen bij allerlei zaken die bij jou niet vanzelf gaan. Je hoeft dan ook niet steeds een docent om hulp te vragen. Een klasgenoot wordt in overleg met jou en de mentor of leerlingbegeleider gevraagd om je buddy te zijn.

Je buddy:
- Moet weten dat je autisme hebt en wat moeilijk voor jou is, anders kan hij je niet helpen.
- Kun je vragen wat het huiswerk is, als je het niet of niet goed hebt opgeschreven.
- Kan ervoor zorgen dat je in contact komt met andere leerlingen, bijvoorbeeld voor in de pauze.
- Kan je helpen met de route door de school van het ene naar het andere lokaal.
- Kan in sommige dingen een voorbeeld voor je zijn.
- Kan grapjes verklaren als je ze niet begrijpt.
- Kan situaties en gebeurtenissen aan je uitleggen die voor jou moeilijk te snappen zijn.
- Kan bij jou ingedeeld worden als er een groepsopdracht is.
- Kan je uitleggen wat je moet doen bij plotselinge veranderingen in bijvoorbeeld het lesrooster.

6
Orde scheppen

Agenda

Op de middelbare school is je agenda héél erg belangrijk. Het is een soort handboek waarin *alles* komt te staan wat je moet doen. Jij schrijft dat allemaal zelf op. Het is van groot belang dat je het op een goede manier doet, anders raak je in de problemen. Ga er dus maar eens voor zitten.

Op sommige scholen krijg je een agenda van school. Er staan dan vaak tips in hoe je je huiswerk moet plannen en maken. Als je zelf een agenda moet kopen, is het erg verleidelijk er een te kiezen van je favoriete sport of popster. Maar al die plaatjes gaan je natuurlijk heel erg afleiden, niet doen dus!

Tip!

Koop een overzichtelijke agenda met weinig plaatjes en genoeg ruimte voor aantekeningen. Eigenlijk een heel saaie dus... Je kunt hem natuurlijk altijd nog zelf opleuken, er is dan in ieder geval niemand die dezelfde agenda heeft.

Agenda

Bekijk je agenda eerst maar eens goed. Zo ontdek je waar alles moet komen te staan en dan hoef je dat niet steeds tijdens de les opnieuw uit te zoeken. Kijk ook voorin bij het lesrooster, de vakanties en de plaats waar je je cijfers in moet vullen.

- Begin met het invullen van je persoonlijke gegevens.
- Als je je lesrooster en het vakantierooster hebt gekregen, noteer je voorin je agenda eerst alle vakanties en vrije dagen. Streep die dagen ook door in de rest van je agenda.
- Schrijf je lestijden voorin of maak er een lijstje van en plak dat voorin. Dit lijstje kun je altijd gebruiken als er een les uitvalt. Je kunt dan in een oogopslag zien hoe laat je bij de volgende les moet zijn. Bijvoorbeeld:

1^e uur	8:30 - 9:20 uur
2^e uur	9:20 - 10:10
3^e uur	10:10 - 11:00
1^e pauze	11:00 - 11:25
4^e uur	11:25 - 12:15
5^e uur	12:15 - 13:05
Lunchpauze	13:05 - 13:35
6^e uur	13:35 - 14:25
7^e uur	14:25 - 15:15
8^e uur	15:15 - 16:05

- Voor in je agenda is ruimte om je lesrooster in te vullen. Om dat te doen, moet je eerst weten welke afkortingen er op jouw school worden gebruikt voor alle vakken. Je gebruikt zelf natuurlijk dezelfde afkortingen als de school, anders wordt het wel heel verwarrend. Het is handig om eerst voor jezelf een lijst te maken van de vakken en hun afkortingen. Bijvoorbeeld:

Nederlands = Ne	Wiskunde = Wi
Engels = En	Biologie = Bi
Frans = Fr	Natuurkunde = Na
Verzorging = Ve	Scheikunde = Sch
Duits = Du	Techniek = Tech
Economie = Ec	Lichamelijke opvoeding = Lo

- Veel scholen gebruiken op het lesrooster ook afkortingen voor de namen van de docenten. Zet achter de afkorting van het vak nu ook de naam van de docent en de afkorting van die naam. Bijvoorbeeld:

Nederlands = Ne	Mevrouw Jansen = Jan
Duits = Du	Meneer Haamen = Ham
Economie = Ec	Mevrouw de Haas = Haa
Wiskunde = Wi	Meneer Hendriks = Hen

- Schrijf nu met potlood – zodat je het makkelijk kunt veranderen als er roosterwijzigingen komen – in het lege lesrooster voor in je agenda:
  - wanneer je les hebt;
  - in welk lokaal je les hebt;
  - van welke docent je les hebt.

- Zet nu, *tot de eerste vakantie* (het rooster kan na een vakantie gewijzigd worden) bij elke dag:
  - afgekort de vakken op het juiste uur;
  - in welk lokaal het vak gegeven wordt;
  - als je het prettig vindt, kun je ook de afkorting van de docent erbij schrijven, maar er blijft dan erg weinig ruimte over om je huiswerk erbij te schrijven – schrijf daarom klein, maar wel leesbaar.

Figuur 6.1 laat zien hoe zo'n dag er dan uit kan zien.

Maandag 20 september

1	Ne 214
2	Ec 316
3	Du 216
4	Lo 01
5	Lo 01
6	Wi 317
7	Bi 318
8	
9	

Figuur 6.1: Voorbeeld voor het invullen van je agenda

HUISWERK OPSCHRIJVEN

Als een docent huiswerk opgeeft, heb je niet de tijd, maar ook niet de ruimte in je agenda, om het allemaal letterlijk op te schrijven. Daar moet je dus ook afkortingen voor gebruiken. Je kunt ze zelf verzinnen of de volgende afkortingen gebruiken, maar *gebruik altijd dezelfde afkortingen.*

Bladzijde = Blz
Hoofdstuk = Hfst
Oefening = Oef
Pagina = Pag

Leren = Le	Paragraaf = Par
Lezen = Lz	Proefwerk = Pw
Maken = Ma	Schriftelijke overhoring = So
Mondelinge overhoring = Mo	Thema = Th
Opgave = Opg	Tot en met = T/m
Opdracht = Opdr	Werkboek = Wb

Je kunt het lijstje in je agenda zetten, voor als je het even niet meer weet.

WAAR SCHRIJF JE HET HUISWERK OP?

Als je op maandag en woensdag Engels hebt, schrijf je het huiswerk dat je op maandag op krijgt en dat woensdag af moet zijn, bij woensdag in je agenda. Zo doe je dat met alle vakken. *Dus: schrijf het huiswerk in je agenda bij de dag dat het af moet zijn.*

Figuur 6.2 is een voorbeeld van een agenda met ingevuld huiswerk.

Maandag 27 september

1	Ne 214	Le hfst 3 par 2 en 3
2	Ec 316	Le woordjes hfst 4 par 2
3	Du 216	Mo hfst 2
4	Lo 01	Gymkleren en schoenen
5	Lo 01	
6	Wi 317	Ma hfst 2 som 1 t/m 7
7	Bi 318	Ma blz 58 opdr 5 en 6
8		
9		

Figuur 6.2: Voorbeeld van een agenda met huiswerk

GÉÉN HUISWERK???

Als je geen huiswerk op hebt gekregen, zet je een duidelijk streepje bij de volgende keer dat je het vak hebt. Zo weet je zeker dat als er ergens geen huiswerk is ingevuld, je ook echt geen huiswerk hebt! Je zou anders ook vergeten kunnen zijn het op te schrijven of je dacht misschien: da's te moeilijk, dat schrijf ik niet op.

Tip!
Als er geen huiswerk of duidelijk streepje in je agenda staat, vraag dan aan je buddy of je écht geen huiswerk hebt.

Je kamer

Je kamer is je heiligdom. Je wilt er privacy om helemaal jezelf te kunnen zijn. De meeste ouders zullen hier begrip voor hebben. Maar er zullen natuurlijk ook voorwaarden aan verbonden worden. Zoals het opgeruimd houden van je kamer. Als jij iemand bent die dat vanzelf doet, dan boffen je ouders en jij. Maar als je het type bent dat het liefst een puinhoop van zijn kamer maakt, met overal kleren en boeken, ga ik toch proberen je over te halen het opgeruimd te houden. Ik zal je ook zeggen waarom: als je kamer een rommeltje is, is het in je hoofd ook rommelig. En dan kun je zoveel planningen en schema´s maken als je wilt, maar als je niet weet onder welke stapel je een boek kunt vinden of waar die pen nou weer ligt, zal het niet lukken om goed te werken.

Probeer dus je bureau en je kasten overzichtelijk te houden. Lukt het je niet om op te ruimen omdat je je spullen alleen maar van de ene naar de andere plek verplaatst, dan is het slim om kleine stickertjes te plakken op je bureau en in je kasten. Daar schrijf je op wat er op die plek moet staan of liggen. Als alles een vaste plaats heeft, geeft dat veel rust en kun je beter werken. En dat geldt niet alleen voor je schoolspullen, maar ook voor andere spullen en je kleren.

Moeders zijn vaak geneigd om je veel uit handen te nemen. Ze ruimen 'even gauw' je kamer op en leggen de schone kleren in je kast. Maar als je zelfstandig wilt worden, is het goed om dit zelf te gaan doen. Maak het jezelf gemakkelijk door op de planken in je kast stickertjes te plakken waar op staat waar je T-shirts, truien, sokken en andere kleren moeten liggen. Dat is niet alleen makkelijk bij het opruimen, maar ook bij het pakken van je kleren.

Kleren blijven vaak slingeren, omdat je niet goed weet of ze vies zijn en in de was moeten. Als ze niet meer fris ruiken, of als er vlekken op zitten, zijn ze vies en kun je ze dus beter direct na het uittrekken in de was doen. Dan zijn ze meteen opgeruimd.

7
Huiswerk plannen

Soorten huiswerk

Er zijn over het algemeen twee soorten huiswerk:

- Maakwerk: hierbij moet je vragen beantwoorden en opdrachten maken, of een werkstuk maken.
- Leerwerk: hier gaat het erom dat je de stof die in een boek staat, of materiaal dat je eerst zelf hebt opgezocht of gemaakt, uit je hoofd leert en kunt toepassen.

MAAKWERK

Voor sommigen is huiswerk maken duidelijk. Zij weten wat ze moeten doen en wanneer ze klaar zijn. Anderen kunnen blijven 'hangen' bij een vraag. Bijvoorbeeld omdat ze twijfelen over de vraagstelling, of omdat ze denken dat ze uitgebreider moeten antwoorden, maar niks meer kunnen verzinnen. Dit kost zoveel tijd dat ze niet meer aan het andere huiswerk toekomen.

Als je een opdracht niet begrijpt, of blijft twijfelen, vul dan een vraagteken in en blijf niet eindeloos zoeken naar het antwoord! Docenten of klasgenoten kunnen je dan later verder helpen.

LEERWERK

Voor leerwerk ligt het wat anders. Om woordjes te leren, moet je bijvoorbeeld een dag of drie van tevoren beginnen. Het is dus handig als je op de plek waar je altijd huiswerk maakt een huiswerkplanner hebt hangen of liggen, waar je al je huiswerk op invult. Daar zet je op wanneer je aan iets werkt én wanneer iets af moet zijn. Je kan op de computer zelf een lege huiswerkplanner maken en die een aantal keer uitprinten, met de hand kun je daar dan steeds je huiswerk op inplannen.

Ik geef op pagina 58 een voorbeeld van een ingevulde huiswerkplanner. Een volledige huiswerkplanner bevat natuurlijk alle dagen, ook zaterdag en zondag.

- Boven in de huiswerkplanner vul je bij iedere dag in hoe laat je thuiskomt – dus *niet* hoe laat school is afgelopen.
- Daaronder schrijf je hoe lang je wilt ontspannen, bijvoorbeeld twintig of dertig minuten.
- Dan vul je in wanneer je aan het huiswerk van die dag kunt beginnen.
- Als je op een bepaalde dag sport, naar muziekles gaat of iets anders doet, vul je dat van tevoren in. Daar kun je dan rekening mee houden bij het plannen.
- Geef de blokjes die de tijd aangeven waarin je aan het huiswerk kunt werken een kleur met een marker, zodat duidelijk wordt hoeveel tijd je hebt om huiswerk te maken en wanneer je dat kunt doen.
- Iedere dag vul je het huiswerk in dat je die dag hebt opgekregen. Mis je bij een bepaald vak huiswerk, bel of MSN dan je buddy om te vragen of dat wel klopt.
- Wat je afhebt, streep je met een potlood door, zodat je het nog kunt lezen. Doe dat ook meteen in je agenda.

Maandag 21 mei

Thuis uit school	15.30 uur
Ontspannen	30 min.
Start huiswerk	16.00 uur

Huiswerk

14	00	School	
	20		
	40		
15	00	School	
	20		
	40		
16	00	Vak:	En
		Le:	Woordjes blz 42
	20	Vak:	En
		Ma:	Vragen blz 41
	40	Vak:	Wi
		Ma:	Blz 36 som 2 t/m 8
17	00	Vak:	Du
		Le:	Woordjes blz 38
	20	Vak:	Bi
		Ma:	Blz 54 opg. 6 t/m 10
	40	Ontspannen	
18	00	Eten	
	20		
	40	Sportspullen inpakken en naar sport	
19	00	Sport	
	20		
	40		
20	00		
	20	Vak:	Bi
		Lz:	Hfdst 6 par 1 t/m 6
	40	Vak:	Ne
		Lz:	Voor boekverslag
21	00	Tas inpakken voor de volgende dag	
	20	Ontspannen	
	40		

Dinsdag 22 mei

Thuis uit school	14.40 uur
Ontspannen	20 min.
Start huiswerk	15.00 uur

Huiswerk

14	00	School	
	20		
	40		
15	00	Vak :	Du
		Le:	Woordjes blz 38
	20	Vak:	Du
		Ma:	Opdr D t/m H blz 35
	40	Vak:	Ak
		Le:	par. 7, 8 & 9 voor so
16	00		
	20	Ontspannen	
	40	Vak:	En
		Le:	Woordjes blz 42
17	00	Vak:	Na
		Ma:	Werkbl. 3
	20	Ontspannen	
	40		
18	00	Eten	
	20		
	40	Sportspullen inpakken en naar sport	
19	00	Vak:	Ec
	20	Ma:	Verslag
	40	Ontspannen	
20	00		
	20		
	40	Vak:	Ne
		Lz:	Voor boekverslag
21	00	Tas inpakken voor de volgende dag	
	20	Ontspannen	
	40		

Figuur 7.1: Huiswerkplanner

Tip!
Zet MSN uit als je huiswerk maakt!

Plannen

Als je woordjes moet leren, dan zet je dat drie dagen achter elkaar in je agenda. De laatste keer is de dag voor je ze moet kennen. Als je maar twee dagen de tijd hebt, verdeel je het natuurlijk over die twee dagen.

Als je een boek moet lezen, kijk je hoeveel pagina's het heeft en wanneer je het uit moet hebben. Houd er rekening mee dat je het boek niet alleen moet lezen, maar er ook nog een verslag over moet maken. Stel bijvoorbeeld dat het boek 180 pagina's heeft en je het verslag over drie weken moet inleveren. Als je graag leest en je er de tijd voor hebt, kun je het natuurlijk snel uitlezen en er een verslag van maken. Maar als je er wat moeite mee hebt, lees je iedere dag een aantal pagina's. Plan hiervoor vijf dagen per week, dat is vijftien dagen in drie weken. De laatste dag heb je nodig voor het maken van het verslag, dus voor het lezen verdeel je 180 pagina's over veertien dagen. Dan lees je dus minstens dertien pagina's per dag en heb je nog een dag om het verslag te maken. Je zet dus veertien keer 'lezen voor boekverslag' in je agenda en één keer 'boekverslag maken'.

In het begin weet je natuurlijk nog niet hoelang je erover doet om iets te leren. Vraag daarom je begeleider of docent om advies. In het begin van het schooljaar kun je ook een lijstje maken waarop je precies zet hoelang je aan bepaalde vakken werkt. Dat kun je later gebruiken bij je planning.

Tip!
Zet een keukenwekkertje of je mobieltje om de tijd in de gaten te houden.

Rugtas

TAS INPAKKEN

Het is handig om een checklist te maken voor de inhoud van je schooltas, zodat je weet wat er voor ieder vak mee naar school moet. Pak je tas altijd 's avonds in, je hoeft er dan 's morgens alleen nog maar je brood en iets te drinken in te doen. (En dat brood heb je natuurlijk zelf klaargemaakt en niet een van je ouders!) Als je niet zeker weet wat je voor een bepaald vak mee moet nemen naar school, vraag het dan bij de eerste les aan de docent. Zet al je vakken op de lijst, vul hem in en gebruik de lijst altijd bij het inpakken van je tas.

Tip!
Pak na het huiswerk maken je tas in voor de volgende dag.

Figuur 7.2 geeft een voorbeeld van een checklist voor het inpakken van je schooltas.

Altijd: Agenda Etui Brood Iets te drinken	Du: Werkboek
En: Aantekeningen	Wi: Rekenmachine Schrift Boek
Bi: Boek Aantekeningen	Ne: Boek Werkstuk

Figuur 7.2: Schooltaschecklist

LANGLOPENDE OPDRACHTEN

Soms krijg je een opdracht die pas over een paar weken af moet zijn. Dat betekent natuurlijk niet dat je daar pas aan moet beginnen als de opdracht bijna af moet zijn. Langlopende opdrachten zijn vaak werkstukken waar je best veel voor moet doen. Ook hier geldt weer: *goed plannen.*

Het is slim om voor dit soort opdrachten een aparte planning te maken en per week het onderdeel dat dan af moet zijn in je huiswerkplanner te zetten, zodat je er ook echt tijd voor maakt.

Vaak moet je een werkstuk met een of meer leerlingen maken. Soms willen docenten daar wel een uitzondering voor maken, maar niet altijd. Als je het moeilijk vindt om samen aan een onderdeel te werken, zeg dat dan gewoon tegen je medeleerlingen en verdeel de opdracht in overleg met elkaar. Je zult merken dat de anderen dat ook fijn zullen vinden. Zo weet iedereen wat zijn taak is. Als je er samen niet uitkomt, vraag dan of je docent of leerlingbegeleider jullie wil helpen. Ik geef in figuur 7.3 een voorbeeld van een planner voor een langlopende opdracht.

Werkstuk: *Vak*
Omschrijving van de taak: *Schrijf hier wat er precies verwacht wordt van het werkstuk.*

Startdatum:
Inleverdatum:

	Ik	Af	Leerling A	Af	Leerling B	Af	Alles af
Week ...							
Week ...							
Week ...							

Figuur 7.3: Planner langlopende opdracht

Als je de opdracht hebt opgedeeld, kun je de planner gaan invullen. Maak je het werkstuk samen met andere leerlingen, maak dan ook de planner in overleg en niet alleen. Als je jouw taak van die week af hebt zet je een ✓ in de kolom 'Af'. Check hoe ver de andere leerlingen zijn en of je daar een ✓ bij kunt zetten. Als de anderen vinden dat je te vaak aan hun kop zeurt, maak dan een afspraak wanneer je kunt checken hoe ver zij zijn met de opdracht. Gaat de samenwerking moeizaam, vraag dan hulp aan de docent of leerlingbegeleider.

Houd er met plannen rekening mee dat je nog een extra moment inplant voor de inleverdatum, waarop je alle delen die iedereen heeft gemaakt, kunt samenvoegen.

Tip!
Plan niet te krap, voor als er nog iets over moet.

Let op! Het plannen en de schema's zijn bedoeld om je te helpen structuur aan te brengen. Het is een *middel* om studeren makkelijker te maken. Pas dus heel goed op dat je het maken van de schema's niet als doel gaat zien en daar al je tijd aan gaat besteden. Verlies jezelf er niet in!

Het is best moeilijk om helemaal zelf te plannen. In het begin zul je er zeker hulp bij nodig hebben. Vraag die hulp aan je ouders, leerlingbegeleider, broer of zus.

8
Leren

Woordjes leren en onthouden met een stappenplan

Woordjes leren is vaak heel lastig. Bij Frans, Duits en Engels kun je dezelfde problemen krijgen als toen je leerde lezen en schrijven op de basisschool. Omdat de woorden in een vreemde taal nieuw zijn, moet je ze weer in stapjes leren. Dus letter voor letter en klank voor klank. Vaak lukt het daarna niet goed de hele woorden 'vanzelf' in je hoofd te krijgen.

Meestal worden woordjes schriftelijk overhoord. Dat is makkelijk voor de docent, want dan kan hij een hele klas tegelijk toetsen. Je moet de woordjes dus in elk geval kunnen *spellen*. Daarom is het belangrijk dat je de woorden *opschrijft* tijdens het leren. Dat is handiger dan typen op de computer, want als je ze opschrijft, vergeet je ze minder snel. Alleen als je een erg slecht handschrift hebt, kun je misschien beter typen.

Begin drie dagen voor je de woordjes moet kennen met leren. Zet het dus ook drie keer in je huiswerkplanner.

STAP 1: SCHRIJVEN EN HARDOP ZEGGEN

Gebruik bij deze stap het volgende invulschema (je kunt het kopiëren of namaken) en ga als volgt te werk:

- Verdeel de woordjes in groepjes van vier of vijf woorden.
- Schrijf de woordjes in de eerste kolom en let goed op de spelling.
- Lees de woordjes hardop voor jezelf en zeg meteen de Nederlandse vertaling erachter.
- Schrijf zonder in je boek te kijken de Nederlandse vertaling in de tweede kolom.
- Controleer met je boek of het klopt.
- Bedek nu de eerste kolom met je hand of een velletje papier en schrijf in de laatste kolom weer de vertaling. Controleer of je het goed hebt als de lijst af is.
- Als je een woord niet goed had, zet je dat bovenaan een nieuw lijstje van vijf woorden.

Vreemde taal	Nederlands	Vreemde taal

STAP 2: HERHALEN EN PAUZEREN

Woordjes leren is stampwerk waarbij het op herhalen aankomt. Probeer niet te lang achter elkaar te leren want op een gegeven moment nemen je hersenen simpelweg geen nieuwe informatie meer op. Als je de woordjes eenmaal goed kent in de volgorde waarin je ze opschreef, kun je de regels losknippen en ze door elkaar leggen. Laat je ook overhoren.

STAP 3: NIET TE ONTHOUDEN!

- Maak een vergeet-top-tien van woorden die je maar niet kunt onthouden. Schrijf ze op en kijk er telkens weer naar.
- Probeer eens een voorstelling of verhaaltje te maken bij een woord. Het maakt niet uit wat, als het maar helpt het nieuwe woord in je hoofd te koppelen aan iets wat je al kent.
- Neem lastige woorden op met je mp3, telefoon of computer met steeds een stukje ruimte ertussen om te herhalen en te vertalen.

Tip!
Deze stappen kun je ook gebruiken voor moeilijke Nederlandse woorden!

Natuurlijk kun je ook allerlei overhoorprogramma's downloaden van internet, bijvoorbeeld:

- www.wrts.nl: duidelijk programma waarvoor je niets hoeft te installeren, je kunt het dus overal gebruiken.
- www.efkasoft.com: hier is ook aandacht voor de uitspraak van je lessen, handig als je dyslexie hebt, je moet wel even gratis software installeren.

Woordjes leren

- www.histopia.nl: een heel duidelijk programma, ook hier moet je even gratis software installeren.

Teksten lezen en leren

Voor vakken zoals economie, maatschappijleer, aardrijkskunde en geschiedenis heb je veel tekstinzicht en inlevingsvermogen nodig. Het is makkelijker om dit soort vakken te leren als je over ieder stukje dat je leest een vraag bedenkt. Het antwoord schrijf je op een blaadje. Als je de stof gaat leren, stel je jezelf de vragen die je hebt opgeschreven en probeer je het antwoord te geven. Dit maakt het leren makkelijker en je kunt de antwoorden bij een overhoring vaak beter verwoorden.

Soms is het beter om een samenvatting te maken om de belangrijke dingen te kunnen onthouden. Door het maken van een samenvatting kun je:

- Structuur aanbrengen in de leerstof.
- Hoofdzaken van bijzaken onderscheiden.
- De inhoud beter snappen en onthouden.
- Beter in eigen woorden vertellen wat je hebt gelezen.

STAP 1: LEZEN

- Bekijk de tekst zonder hem te lezen, want dat kan al veel zeggen over de inhoud. Staan er plaatjes bij? Dikgedrukte woorden? Zijn er alinea's en paragrafen? Wat weet je zelf al van het onderwerp?
- Lees nu de tekst rustig door.
- Zoek de betekenis van moeilijke woorden op.
- Lees de tekst nog een keer per paragraaf. Bedenk waar elke paragraaf over gaat of schrijf het kort op in het volgende schema.
- Als je de tekst begrijpt, kun je met de opdrachten of vragen beginnen of verdergaan met het volgende stuk.
- Snap je het nog steeds niet, kijk dan nogmaals naar wat je niet begrijpt. Blijf daar niet te lang hangen, maar vraag hulp in je omgeving.

STAP 2: SAMENVATTEN MET EEN SCHEMA

Een handig hulpmiddel om een tekst samen te vatten, is het schema in figuur 8.1 dat je kunt kopiëren. In elk vak in het schema schrijf je een zin die het betreffende deel van de tekst samenvat.

<table>
<tr><th>Samenvatting per alinea</th><th>Samenvatting per blok alinea's of paragraaf</th><th>Samenvatting van de hele tekst</th></tr>
<tr><td></td><td rowspan="3"></td><td rowspan="6"></td></tr>
<tr><td></td></tr>
<tr><td></td></tr>
<tr><td></td><td rowspan="3"></td></tr>
<tr><td></td></tr>
<tr><td></td></tr>
</table>

Figuur 8.1: Een samenvattingsschema

Als je een goed schema hebt gemaakt, zou je in staat moeten zijn de tekst in grote lijnen na te vertellen aan de hand van het schema. Doe dit ter controle.

TUSSENSTAPJE

Als je het lastig vindt om een paragraaf of alinea samen te vatten, probeer dan een vraag te verzinnen die het onderwerp van de tekst beslaat. Een trucje dat je bij paragrafen vaak toe kunt passen, is het omvormen van de paragraaftitel tot een vraag. De paragraaftitel van deze paragraaf 'Tussenstapje' wordt dan bijvoorbeeld 'Wat is een handig tussenstapje bij het leren van teksten?' Het antwoord op de vraag vat de paragraaf samen. Hieronder geef ik een voorbeeld van de vraagmethode, de tekst is afkomstig uit *Wereldwijs aardrijkskunde* (Dieleman e.a., 2000, p. 128).

1) Zoet water is een van de belangrijkste natuurlijke hulpbronnen op aarde. Je gebruikt water in het huishouden. Je gebruikt het om te drinken, te douchen, te zwemmen en te varen. Water is ook uitstekend geschikt om goederen te transporteren. De landbouw en de industrie kunnen niet zonder water.
2) Water is noodzakelijk om te overleven. Willen mensen kunnen leven en werken, dan moet het water aan bepaalde eisen voldoen: er moet voldoende water zijn, er moet zoet water zijn en het moet schoon water zijn. Verspilling en vervuiling moeten worden voorkomen.
3) Behalve water is ook energie onmisbaar voor de mens. Verkeerd omgaan met energie leidt echter tot vervuiling. De fossiele brandstofvoorraden worden snel kleiner. Zuinig omgaan met energie is daarom van groot belang. Meer energiebronnen gebruiken die niet opraken is nog beter.

Commentaar:

- Jammer, geen plaatjes. ☹
- Geen dik gedrukte woorden. 😐
- Bij de alinea's heb ik een cijfer gezet. ☺

Ik maak zelf vragen bij de alinea's en beantwoord ze.

1) Wat is een van de belangrijkste natuurlijke hulpbronnen op aarde? Water.
   Waarvoor gebruik je deze hulpbron? Huishouden (drinken, douchen), zwemmen, varen, transporteren van goederen, landbouw en industrie.
2) Waarvoor is water noodzakelijk? Om te overleven.
   Aan welke eisen moet water voldoen? Het moet zoet en schoon zijn, en er moet voldoende zijn.
   Wat moet worden voorkomen? Verspilling en vervuiling.
3) Wat is er nog meer onmisbaar voor de mens? Energie.
   Welke brandstofvoorraden worden kleiner? Fossiele brandstofvoorraden.
   Wat is van belang bij gebruik energie? Zuinig zijn en energiebronnen gebruiken die niet opraken.

In figuur 8.2 kun je zien hoe het eruit ziet als ik het schema invul.

Samenvatting per alinea	Samenvatting van een blok alinea's	Samenvatting van de hele tekst
Hulpbron water: onmisbaar voor huishouden, vervoer, landbouw en industrie.	Schoon water en energie onmisbaar voor huishouden, transport, landbouw en industrie maar tekorten dreigen: zuinig zijn en alternatieven gebruiken.	1^e deel van de tekst: Water en energie noodzakelijk voor de mens maar gevaar dat het op raakt, andere energiebronnen gebruiken.
Om te overleven voldoende zoet en schoon water nodig en niet verspillen.		
Energie ook belangrijk en schaars: fossiele brandstofvoorraden raken op, daarom zuinig zijn en energiebronnen gebruiken die niet opraken.		

Figuur 8.2: Een ingevuld samenvattingsschema

Begrippen en definities leren

Bij veel vakken moet je begrippen en definities leren. Een begrip is een woord en de definitie is de betekenis van het woord. Je moet het begrip en de definitie niet alleen uit je hoofd leren, je moet ook begrijpen wat je ermee kunt doen. Je moet het kunnen toepassen in een opdracht.

Je kunt een begrip goed onthouden als je er een schemaplaatje van maakt (zie figuur 8.3). Het begrip zet je in het midden en de definitie krijg je door te antwoorden op de 'pijlvragen'. We nemen als voorbeeld een makkelijk woord: handtekening.

- Het begrip zet je centraal in het puzzelstukje. In dit geval: handtekening.
- Geef antwoord op de '*wat-pijl*': wat is een handtekening?
- Geef antwoord op de '*waarom-pijl*': waarom zet je een handtekening?
- Geef antwoord op de '*toepassing-pijl*': waarbij kun je een handtekening toepassen?
- Geef antwoord op de '*hoe-pijl*': hoe kun je een handtekening maken?

Ik gebruik hier mijn favoriete puzzelmannetje, maar je kunt natuurlijk ook gewoon een cirkel of vierkant gebruiken.

De definitie van een begrip vinden:
- In dit geval heb ik zelf de definitie opgezocht met behulp van een woordenboek, maar vaak krijg je een definitie al in de tekst.
- Een begrip wordt vaak in de tekst uitgelegd, lees dus altijd eerst een stukje door.
- Gebruik een woordenboek of internet.
- Vraag het in de les aan je docent of buddy en thuis aan je ouders, broer of zus.

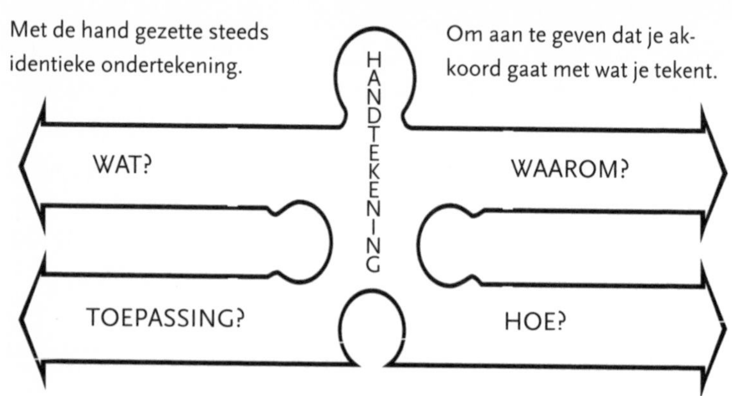

Om een afspraak te bevestigen, bijvoorbeeld in een contract. Hiermee zeg je dat je akkoord gaat met alles wat erin staat. Soms worden er handtekeningen verzameld om steun te betuigen aan een bepaalde zaak of persoon. Supporters willen graag een handtekening van hun idool.

Een handtekening bestaat meestal uit iemands achternaam, voornaam of voorletters, op een heel eigen manier geschreven (getekend). Tegenwoordig is het via internet ook mogelijk een digitale handtekening te zetten.

Figuur 8.3: Begrippen leren

De definitie en het begrip beter onthouden:

- Zet het in een schema (je hoeft niet altijd op alle pijlen antwoord te hebben voor een goede definitie).
- Bedenk er een plaatje bij.
- Lees de definitie hardop voor.
- Schrijf de definitie op zonder te spieken in je boek of aantekeningen.
- Laat je overhoren.

Help! Een toets, so of proefwerk

De vragen in een toets, so (schriftelijke overhoring) of proefwerk kunnen als open vragen gesteld worden. Je moet het antwoord dan zelf bedenken en opschrijven. Dat zal niet altijd makkelijk zijn. Houd in elk geval de hoofd- en bijzaken in de gaten zoals je ze geleerd hebt uit je samenvatting van het boek en uit je aantekeningen (meer over aantekeningen maken in het volgende hoofdstuk). Als je een visuele denker bent en veel onthoudt met plaatjes in je hoofd, kan dat je goed helpen. *Als je een vraag niet weet, blijf er dan niet te lang over nadenken maar ga verder met de volgende vraag. Als je de andere vragen beantwoord hebt, keer je weer terug naar de moeilijke vraag.*

MULTIPLE CHOICE

Het kan ook dat je een multiplechoicetoets krijgt. Je kunt dan uit een paar antwoorden kiezen. Om multiplechoicevragen goed te beantwoorden, kun je het best de werkwijze volgen die studentenpsychologen van de Universiteit Leiden adviseren (www.leidenuniv.nl).

1. Zoek het beste antwoord en niet het 100% 'perfecte' antwoord
Beantwoord eerst de vraag in je hoofd zonder naar de antwoorden te kijken en kies dan het antwoord dat het meest lijkt op het antwoord in je hoofd. Bij vier antwoordmogelijkheden geldt over het algemeen:

- Een van de vier is duidelijk fout.
- De tweede blijkt na enig nadenken niet goed te zijn.
- Je moet kiezen uit de overgebleven twee. Het volgende helpt je bij het maken van een keus:
  - Lees de vraag en de antwoorden zorgvuldig en zoek er niet te veel achter. Veel vragen zijn niet ingewikkeld bedoeld.

- Het gaat om het beste antwoord; het hoeft niet perfect te zijn. De andere antwoorden zijn soms echt fout, soms alleen maar 'minder juist'.
- Als je goed bent voorbereid en je hebt de vraag zorgvuldig gelezen, dan is de eerste indruk vaak de juiste. Verbeter alleen als je het zeker weet!

2. *Van makkelijk naar moeilijk naar heel moeilijk*

- Beantwoord eerst de makkelijke vragen die je meteen weet, *sla een vraag over als je het antwoord niet meteen weet.*
- Ga nadat je de makkelijke vragen hebt beantwoord opnieuw de vragen af en zoek nu de antwoorden op de moeilijke vragen, sla de zeer moeilijke vragen over.
- Nu heb je nog de tijd om de zeer moeilijke vragen te beantwoorden.
- Vul uiteindelijk alles in en kijk of je niets bent vergeten.

Multiple choice

3. Als je twijfelt tussen twee antwoorden

- In teksten staat vaak een 'sleutelwoord'. Dat is een belangrijk woord om de tekst te kunnen begrijpen. Lees de vraag nauwkeurig en vergelijk de sleutelwoorden van de vraag met die van de twee overgebleven vragen. Beide antwoorden zullen in zekere mate goed zijn.
- Kies het beste alternatief; het perfecte antwoord bestaat vaak niet!
- Zoek er niet te veel achter en ga – als je zorgvuldig hebt gelezen – op je eerste indruk af.
- Als je aan het eind van een proefwerk gaat twijfelen, moet je meestal gewoon bij je eerste keus blijven. Verander alleen als je het *heel* zeker weet.
- Je wilt soms 'verbeteren' om het gevoel van onrust en twijfel te laten afnemen: 'verbeteren' is dan 'verslechteren'.

Tip!

Als je goed bent voorbereid, is het eerste antwoord dat in je opkomt meestal goed.

Ik geef je een paar multiplechoicevragen om te oefenen met multiple choice. De antwoorden staan onderaan op pagina 79. De vragen zijn afkomstig van Dienstencentrum Focus.

1. Moet je leren voor een multiplechoicetest?
   a) Nee, je hoeft alleen maar te kiezen uit wat antwoorden.
   b) Nee, want met gokken haal je altijd een voldoende.
   c) Ja, want alleen als je geleerd hebt, weet je welk antwoord het beste is.
   d) Ja, want als je geleerd hebt, kun je beter kiezen.

2. Hoe moet je een multiplechoicevraag beantwoorden?
   a) Eerst de vraag goed lezen en dan het juiste antwoord kiezen.
   b) Eerst de vraag lezen, dan de antwoorden goed lezen, dan kiezen.
   c) Eerst de vraag lezen, dan een antwoord kiezen.
   d) Eerst de vraag goed lezen, dan goed nadenken en de vraag eerst zelf beantwoorden, dan de antwoorden goed lezen en jouw antwoord aankruisen.

3. Je hebt de vraag goed gelezen, goed nagedacht en de vraag eerst zelf beantwoord voor je naar de antwoorden keek, maar jouw antwoord staat er niet tussen. Wat moet je nu doen?
   a) Je moet het antwoord kiezen dat het meest op jouw antwoord lijkt.
   b) Je moet gewoon gokken.
   c) Je leest de vraag nog een keer, denkt na of je antwoord. goed is en kiest dan het antwoord dat het meest op dat van jou lijkt.

4. Je hebt de vraag goed gelezen, goed nagedacht, maar weet het antwoord niet zeker. Als je de antwoorden leest, zie je dat er twee zeker fout zijn. Wat doe je?
   a) Je gaat twijfelen of die twee antwoorden wel fout zijn en blijft ze steeds opnieuw lezen.
   b) Niet meer naar de twee foute antwoorden kijken, de vraag nog een keer lezen, de twee overgebleven antwoorden nog eens lezen en het beste antwoord kiezen.
   c) Je gokt tussen de twee waar volgens jou het goede antwoord tussen moet zitten.

5. Na goed lezen van de vraag en de antwoorden weet je het antwoord echt niet. Je hebt geen tijd meer om de vraag later te bekijken. Wat doe je nu?
   a) De vraag open laten.
   b) Blijven lezen tot je het antwoord weet.
   c) Spieken bij je buurman of -vrouw.
   d) Gokken.

Antwoorden: 1=c, 2=d, 3=c, 4=b, 5=d

9
Aantekeningen en boekverslagen

Aantekeningen

Als een docent in de klas de stof behandelt, maak je aantekeningen.

Waarom maak je aantekeningen?
- Als geheugensteuntje, zodat je thuis nog weet wat er belangrijk is als je gaat leren voor een proefwerk.
- Zodat je precies weet wat de docent belangrijk vindt en waar je extra aandacht aan moet besteden.
- Als je aantekeningen maakt, ben je beter geconcentreerd.
- Bij een proefwerk vraagt de docent vaak wat hij in de klas heeft behandeld.

Wanneer maak je aantekeningen?
- Als je denkt dat wat de docent verteld belangrijk is.
- Als de docent moeilijke stof behandelt.
- Als de docent dingen vertelt die niet in het boek staan.
- Als de docent zegt dat je aantekeningen moet maken.
- Als je dingen hoort als: 'Maar het belangrijkste is...', of: 'Onthoud vooral goed dat...' Schrijf dan op wat er gezegd wordt.

- Ook dit soort opmerkingen zijn belangrijk: 'Ten eerste', 'Ten tweede', 'Er zijn een aantal oorzaken voor...', .
- De hoofdzaken zal de docent meestal herhalen, dus die moet je opschrijven.
- De *toon* waarop de docent spreekt, kan ook een aanwijzing zijn dat iets belangrijk is; belangrijke dingen worden vaak met stemverheffing of met extra nadruk gezegd.

AANTEKENINGEN MAKEN

Het maken van aantekeningen is niet makkelijk. Je moet erg veel tegelijk doen wanneer je aantekeningen maakt. Je moet goed luisteren en tegelijkertijd meedenken: is dit voorbeeld belangrijk genoeg om er iets van op te schrijven, of kan ik het weglaten? Je moet wat gezegd wordt in je eigen woorden opschrijven. Terwijl je bezig bent met het kiezen van je eigen woorden en met opschrijven, moet je goed blijven luisteren en meedenken. Voor deze tips heb ik gebruikgemaakt van de aanwijzingen voor aantekeningen maken van R. Hoogstraten en F. Rönitz van het Assink Lyceum (www.hetassink.nl).

Nog een paar tips:
- *Schrijf niet alles op wat de docent zegt!* Je hebt dan geen tijd meer om echt te luisteren.
- Probeer hoofd- en bijzaken te onderscheiden.
- Als je in een werkboek aantekeningen maakt, zet die dan tussen de opdrachten.
- Als je in een schrift werkt, gebruik dan de linkerpagina's voor opdrachten en laat de rechterpagina's steeds open om aantekeningen bij te schrijven.
- Wat de docent op het bord schrijft, schrijf je in ieder geval op.
- Houd je aantekeningen overzichtelijk. Je moet ze thuis ook nog kunnen lezen én snappen.

- Schrijf niet alle voorbeelden op die een docent geeft om iets duidelijk te maken en noteer voorbeelden in een paar woorden.

AANTEKENINGEN SAMENVATTEN

Als je veel aantekeningen hebt, kun je als je gaat leren daar een samenvatting van maken, zodat duidelijk wordt wat de hoofd- en bijzaken zijn. Je kunt in je samenvatting natuurlijk ook meteen de belangrijke stukken uit het boek verwerken. In figuur 9.1 zie je hoe je een samenvatting van je aantekeningen kunt opbouwen.

A: Hoofdzaak: ________________
    1: Bijzaak: ________________
    2: Bijzaak: ________________
    3: Bijzaak: ________________
        3a: Van belang voor bijzaak: ________________

B: Hoofdzaak: ________________
    1: Bijzaak: ________________
    2: Bijzaak: ________________
    3: Bijzaak: ________________
        3a: Van belang voor bijzaak: ________________

Enzovoort.

Figuur 9.1: Een schematische samenvatting van je aantekeningen

Je kunt ook een plaatjesschema gebruiken. Ik gebruik hier weer mijn favoriete puzzelmannetje, maar je kunt natuurlijk ook een cirkel of vierkant nemen en er pijlen bij zetten.

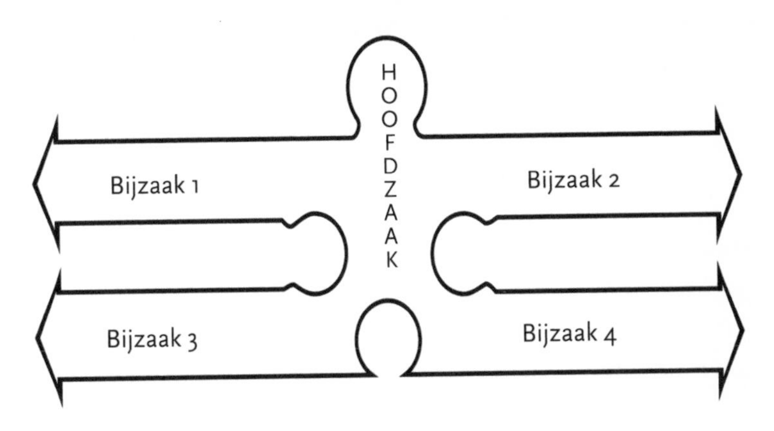

Figuur 9.2: Een samenvatting in een plaatjesschema

De voordelen van een plaatjesschema:

- Het onderwerp staat letterlijk centraal.
- Je kunt er zoveel pijlen voor bijzaken bij zetten als je wilt.
- Ondergeschikte zaken kun je nog met een pijl verbinden aan een bijzaak-pijl.

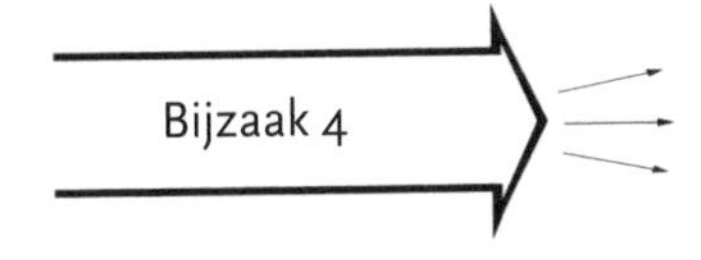

- Je ziet onmiddellijk de volgorde van belangrijkheid. Hoe dichter bij het centrum, des te belangrijker.
- Je gedachtesprongen kunnen duidelijk op papier worden gezet.
- Je kunt in een oogopslag de verhoudingen tussen de gegevens zien.
- Je kunt er later nog wat aan toevoegen zonder gekras en gebrek aan plaats.
- Door het maken van een schema heb je de stof meestal direct in je hoofd.

Je kunt ook nog werken met een marker om sommige woorden extra op te laten vallen.

Boeken lezen en verslagen maken

Voor school zul je boeken moeten lezen en daarvan boekverslagen maken. Je kunt boeken gebruiken die je thuis hebt of boeken uit de bibliotheek of de mediatheek van school. Het verschilt per school en per schoolsoort wat je in een boekverslag moet zetten, ik geef een aantal algemene tips.

Lezen

Waar let je op bij het kiezen van een boek?

- Zegt de titel je iets?
- Bekijk de omslag van het boek, want dat zegt vaak al iets over de inhoud.
- Lees de korte beschrijving op de achterkant en kijk of die je aanspreekt.
- Staan er plaatjes in?

- Wat weet je zelf al van het onderwerp?
- Kijk naar het aantal pagina's. Als je een langzame lezer bent en het boek in korte tijd uit moet hebben, moet je natuurlijk geen dikke pil nemen.
- Zoek een boek dat je leuk of interessant lijkt.

EEN PLANNING

Over het plannen hadden we het al in hoofdstuk 7. Ik herhaal het nog even.

Als je een boek moet lezen, kijk je hoeveel pagina's het heeft en wanneer je het uit moet hebben. Houd er rekening mee dat je het boek niet alleen moet lezen, maar er ook nog een verslag over moet maken. Stel bijvoorbeeld dat het boek 180 pagina's heeft en je het verslag over drie weken moet inleveren. Plan hiervoor vijf dagen per week, dat is vijftien dagen in drie weken. De laatste dag heb je nodig voor het maken van het verslag, dus voor het lezen verdeel je 180 pagina's over veertien dagen. Dan lees je dus minstens dertien pagina's per dag en heb je nog een dag om het verslag te maken.

LEZEN

Als je docent daar geen overzicht van heeft gegeven, vraag dan wat er in een boekverslag moet komen te staan, of vraag een voorbeeld van een boekverslag. Als je weet wat er in een boekverslag moet komen te staan, kun je daar tijdens het lezen al aandacht aan besteden.

Houd pen en papier bij de hand en maak aantekeningen tijdens het lezen, of als je klaar bent met het aantal pagina's dat je die dag hebt gelezen. Noteer de namen van de hoofd- en bijpersonen (de personages) en schrijf erbij wat je van ze vindt. Je kunt de personages aan de hand van de eigenschappen uit tabel 9.1 beschrijven.

Tabel 9.1: Karaktereigenschappen voor boekverslagen

bazig	onderdanig	brutaal	beleefd
behulpzaam	egoïstisch	betrouwbaar	onbetrouwbaar
druk	rustig	dapper	angstig
eenzaam	trekt zich niet terug	eigenwijs	meegaand
evenwichtig	snel in paniek	fantasievol	nuchter
gelukkig	ongelukkig	gemeen	eerlijk
gewoon	apart	grappig	serieus
jaloers	gunt een ander alles	komt voor zichzelf op	laat over zich lopen
maakt makkelijk contact	gesloten	ongeïnteresseerd	nieuwsgierig
slim	dom	sluw	eerlijk
somber	vrolijk	spontaan	geremd
sportief	sloom	stoer	slap
tobberig	onbezorgd	trots	niet zelfbewust
vastberaden	geeft gauw op	verlegen	zelfverzekerd
vriendelijk	onvriendelijk	wil problemen oplossen	laat de ander alles oplossen
zacht	hard	zeker	onzeker

Personages zijn in verschillende categorieën te verdelen. Je kunt tijdens het lezen al aangeven wat voor soort persoon iemand is, maar je kunt dat ook doen als je het boek uit hebt en een beeld hebt van het grotere geheel. Je kunt vaak de volgende personen onderscheiden:

- **Hoofdpersoon**: Het belangrijkste personage in het verhaal over wiens karakter je erg veel te weten komt. Zijn of haar leven of dingen die hem of haar overkomen staan centraal –

hij of zij heeft bijvoorbeeld een bepaald doel of probeert een bepaald probleem op te lossen. Soms zijn er meerdere hoofdpersonen. De hoofdpersoon kan ook een dier of een fantasiewezen zijn.

- **Bijfiguren**: De bijfiguren hebben vaak een bepaalde relatie met de hoofdpersoon en je leert ze ook redelijk goed kennen. Ze zijn bijvoorbeeld bevriend met de hoofdpersoon of zijn familie van hem – ze helpen hem bijvoorbeeld bij het oplossen van zijn probleem, of helpen hem zijn doel te bereiken – of zijn juist zijn 'vijand' – ze veroorzaken problemen in het leven van de hoofdpersoon of bemoeilijken het bereiken van zijn doelen. Bijfiguren kunnen ook personen uit het verleden van de hoofdpersoon zijn.
- **Afzijdige figuren of figuranten**: Naast de bijfiguren zijn er ook personages die een hele kleine rol spelen en zich eigenlijk nergens mee bemoeien. Je komt meestal niet veel over ze te weten en ze zijn niet belangrijk in het leven van de hoofdpersoon.

Nog een paar tips voor tijdens het lezen:
- Zoek de betekenis van moeilijke woorden op in een woordenboek en noteer die.
- Schrijf na ieder hoofdstuk kort op waar het over ging.
- Van veel boeken zijn ook 'gesproken' uitvoeringen (ook wel luisterboeken genoemd) op cd of dvd verkrijgbaar. Deze kun je beluisteren als je leest – je moet natuurlijk wel mee blijven lezen en niet alleen luisteren! Zet als dat nodig is, en als het kan, de cd op een lager tempo.

Als je alleen een boek moet lezen om er later een toets over te maken, is de werkwijze die ik tot nu toe heb beschreven meestal voldoende. Als je een boekverslag moet schrijven, moet je wat meer doen, en daar gaat de volgende paragraaf over.

Tip!
Als je een boek voor een andere taal moet lezen, dan kun je hetzelfde te werk gaan – daarbij kun je natuurlijk helemaal niet zonder woordenboek om de woorden op te zoeken die je niet kent.

EEN BOEKVERSLAG MAKEN

Op internet rouleren heel veel boekverslagen, maar je weet natuurlijk nooit welke goed zijn en welke niet. Je kunt ze natuurlijk wel als hulpmiddel gebruiken bij je eigen verslag, maar neem ze nooit klakkeloos over. *Vraag om uitleg en voorbeelden aan je docent als je niet weet wat er precies van je verwacht wordt.*

Tip!
Als een boek verfilmd is, is het natuurlijk wel makkelijk om de film ook te bekijken, maar pas op: de verfilming is niet altijd precies hetzelfde als het boek. In de film loopt het verhaal wel eens anders af of er zijn delen of personages weggelaten.

Meestal begin je een boekverslag met algemene informatie over het boek:

- titel;
- naam van de auteur en informatie over de auteur;
- naam van de uitgever;
- de verschijningsdatum.

Daarna geef je een samenvatting van het verhaal. Dit is lastig, want hier moet je goed opletten dat je niet hele delen van het boek gaat overschrijven. *Het is echt de bedoeling dat dit een korte samenvatting wordt!* Het volgende moet je erin zetten:

- In korte zinnen een overzicht van de belangrijkste gebeurtenissen en waar en wanneer die plaatsvinden.
- Wie de hoofdpersoon is en waar hij zich mee bezig houdt in het verhaal; beschrijf wat hem overkomt.
- Wie de belangrijkste andere personen zijn (als het goed is, staat dat al in de aantekeningen die je tijdens het lezen hebt gemaakt).
- Hoe de relatie is tussen de hoofdpersonen en de andere personen, ze zijn bijvoorbeeld:
  - Vrienden: ze beschermen elkaar, zitten bij elkaar in de klas of kennen elkaar van vroeger.
  - Familie (ouders, kinderen).
  - Geliefden.
  - Geen vrienden: ze hebben een hekel aan elkaar, begrijpen elkaar niet, negeren elkaar.

Dan komen meestal aan bod:

- **Genre**: Bijvoorbeeld *historische roman* of *historisch verhaal, detective* of *psychologische roman*. Als een boek verzonnen is, heet dat fictie. Als een verhaal waargebeurd had kunnen zijn, dan noemen we dat realistisch, daartegenover staat sciencefiction, dat juist duidelijk verzonnen is. Er zijn ook nonfictie boeken, die gaan over dingen die echt gebeurd zijn, er is dan helemaal niks verzonnen aan het verhaal.
- **Thema**: Het *onderwerp* waar het *hele* boek over gaat. *Je geeft hier niet je eigen mening,* maar beschrijft wat de schrijver bedoeld heeft. Voorbeelden van thema's zijn vriendschap, liefde, vertrouwen, dood of angst.
- **Titelverklaring**: Wat heeft de titel met het verhaal te maken?

- **Plaats/ruimte**: Waar speelt het verhaal zich af? Dit is meestal niet toevallig gekozen, de schrijver wil hiermee een bepaalde sfeer oproepen die bijvoorbeeld past bij het thema. In een spannend verhaal komt bijvoorbeeld een kelder en donkere zolder voor, een historisch verhaal speelt zich bijvoorbeeld af in een kasteel.
- **Tijd**:
  - *Wanneer* speelt het verhaal zich af en *hoe lang* is de beschreven periode? De gebeurtenissen in een verhaal duren een bepaalde periode. Sommige verhalen duren een halfuur, andere een paar dagen of jaren. Meestal kun je alleen maar schatten hoelang een verhaal duurt. Soms kun je in één uur lezen het hele leven van de hoofdpersoon meemaken. Het zou heel vervelend zijn, als een schrijver van minuut tot minuut zou beschrijven wat er in het verhaal gebeurt. Schrijvers maken daarom *tijdsprongen* waarin een stuk tijd wordt overgeslagen. Ze schrijven bijvoorbeeld: 'Een jaar later...', of 'De volgende dag...', daarmee wordt in een paar woorden een groot stuk tijd *samengevat*. Als lezer moet je die tijdsprongen zelf invullen. Soms is er sprake van *vooruit-* en *terugwijzingen* waarbij je in enkele woorden of zinnen iets leest over vroeger of over de toekomst. Het verhaal wordt daarbij *niet* onderbroken.
  - Is het *chronologisch* opgebouwd (de gebeurtenissen worden opeenvolgend verteld in de volgorde waarin ze plaatsvinden) of *niet-chronologisch* (het boek begint als er al van alles is gebeurd en door terugblikken in de tijd of flashbacks en herinneringen kom je te weten wat er in het verleden is gebeurd)? Door het gebruik van flashbacks kan een schrijver het verhaal spannender maken en de lezer uitleg geven over de situatie.

De personages spelen vaak een belangrijke rol in een boek, en hun belevenissen kunnen op verschillende manieren beschreven worden – de beschrijving van de karakters is daarom een belangrijk onderdeel van het boekverslag:

- **Karakters**: Beschrijf de karakters van de hoofdpersoon en belangrijke bijfiguren. Maak daarbij gebruik van je aantekeningen. Maken ze een ontwikkeling door? Veranderen ze in de loop van het verhaal? Hebben ze iets geleerd?
- **Vertelsituatie**: De schrijver vertelt het verhaal via een verteller. Deze verteller is niet dezelfde persoon als de auteur. Er zijn verschillende mogelijkheden:
  - Ik-perspectief: Alles wordt beschreven vanuit een ik-figuur die vertelt wat er gebeurt in het verhaal en wat hij daarbij denkt en voelt – je kijkt als lezer door zijn of haar ogen mee.
  - Personaal perspectief: Je kijkt met een persoon mee, maar het verhaal staat in de hij- of zij-vorm – ook hier beleef je als lezer het verhaal door zijn of haar ogen.
  - Auctoriaal perspectief: Het verhaal wordt verteld door een verteller die weet wat alle personages denken en voelen. De verteller weet wat er in het verleden is gebeurd en wat er in de toekomst zal gebeuren. De verteller is geen personage in het verhaal.

Een boekverslag eindig je met je **oordeel** over het boek. Hier mag je opschrijven wat je van het boek vindt, maar houd ook dit weer kort! Als je het boek bijvoorbeeld mooi vond, moet je ook uitleggen waarom. Je begint je oordeel dan met: ‘Ik vond het boek mooi, omdat ... .’ Ik geef alvast een aantal woorden die je kunt gebruiken bij jouw oordeel:

- Interessant
- Grappig
- Griezelig
- Verdrietig
- Zielig
- Gek

- Spannend
- Mooi
- Ontroerend
- Saai
- Makkelijk
- Moeilijk

NOG EEN PAAR TERMEN

Bij het bespreken van boeken wordt wel eens de term 'opening van het boek' gebruikt. Daarmee bedoelen ze niet het openslaan van het boek, maar hoe een boek begint. Er zijn namelijk twee soorten openingen:

- De informatieve opening waarbij de lezer eerst informatie krijgt voordat het eigenlijke verhaal begint.
- De opening in de handeling waarbij je als lezer meteen midden in de gebeurtenissen zit – er is meteen 'actie'.

En als je een boek uit hebt, sla je het dicht. Dat zou je een gesloten einde kunnen noemen, maar daar wordt toch iets anders mee bedoeld.

- Bij een gesloten einde is er een afgerond verhaal verteld en aan het einde zijn bijvoorbeeld alle problemen opgelost of alle belangrijke vragen beantwoord.
- Bij een open einde heb je het idee dat het verhaal 'zomaar ergens' eindigt, je blijft dan meestal met een aantal belangrijke vragen achter. Dat is soms behoorlijk irritant, maar het is de bedoeling van de auteur dat de lezer zijn fantasie gebruikt om zelf de antwoorden in te vullen.

10
Stage, een baantje of vakantiewerk

Stage

Soms moet je op de middelbare school een stage lopen, vaak is dat een snuffelstage. Meestal heb je daarvoor al een project gehad om te ontdekken welk beroep je zou willen na de middelbare school. Een snuffelstage is bedoeld om je te laten kennismaken met het vak of het soort bedrijf waar je later misschien in wilt gaan werken. Je krijgt zo de gelegenheid om – bijvoorbeeld een week – in een beroep mee te kijken, waardoor je er meer over te weten kunt komen. Tijdens een snuffelstage zul je zelden echt meewerken, iets wat sommigen een tegenvaller vinden.

Omdat niet iedere stageplek voor jou geschikt zal zijn, heb ik een aantal adviezen.

EEN STAGEBEDRIJF ZOEKEN

De volgende vragen zijn belangrijk voor het vinden van een stageplek:

Wat doet de school? Als de school van je verwacht dat je veel zelfstandig doet, vraag dan of ze een stappenplan voor je willen maken, zodat je een overzicht hebt van wat er allemaal gedaan moet worden.

Welke stageplek is geschikt voor jou? Uiteraard is het belangrijk dat je een stageplek zoekt die goed bij jou past. Jij zult misschien met wat meer dingen rekening moeten houden dan je klasgenoten. Waarschijnlijk kun jij goed functioneren:

- in een bedrijf dat kleinschalig is;
- in een prikkelarme omgeving;
- als je begeleiding kunt krijgen van één persoon;
- op een plek waar begrip is voor het feit dat duidelijkheid en structuur jou helpen om beter te functioneren;
- bij een bedrijf dat niet te ver weg is, zodat je er juist wel of juist niet met het openbaar vervoer heen kunt.

Hoe zoek je een stageplek? Ga op tijd *zelf* zoeken. Dat kan via iedereen die je kent of die je ouders kennen, maar waarschijnlijk heeft je school ook stageadressen die voor jou geschikt zijn. Als je een stagebedrijf denkt te hebben gevonden, surf dan ook eens naar de website van het bedrijf om te kijken of dit is wat je zoekt.

Hoe vraag je of je stage mag komen lopen? Je kunt bellen om te vragen of er plaats is voor een stagiaire. Vertel erbij waarom je juist bij dit bedrijf stage zou willen lopen. Als je dat moeilijk vindt, kun je een brief schrijven. Als het bedrijf dat jouw eerste keus is geen plaats heeft, vraag dan of ze misschien een ander bedrijf weten dat wel geschikt zou zijn.

Hoe weet het bedrijf wie je bent? Het kan ook dat het bedrijf je na een telefoongesprek vraagt een sollicitatiebrief te sturen.

Het is natuurlijk geen echte officiële sollicitatiebrief, want je komt er alleen maar 'snuffelen' en niet echt werken. Vraag op school om hulp als hier weinig informatie over wordt gegeven. Zorg voor een goed verzorgde brief en laat je brief altijd nalezen door iemand anders, bijvoorbeeld je ouders, je docent of stagebegeleider.

Wanneer hoor je iets? Als je de brief op de post hebt gedaan en je hoort niks, kun je na een paar dagen bellen om te vragen of het bedrijf je brief heeft ontvangen. Je kunt dan ook vragen wanneer je een reactie op je brief kunt verwachten.

OP GESPREK

Als je wordt uitgenodigd voor een gesprek, zorg dan dat je goed bent voorbereid. Bedenk wat het stagebedrijf van jou zou willen weten en wat jij daarop wilt antwoorden. Natuurlijk kun jij ook vragen stellen. Schrijf je vragen gerust op een briefje. Ook de antwoorden die je krijgt, kun je opschrijven. Je kunt het volgende bespreken tijdens het gesprek:

- wat de dagindeling is;
- wat je moet gaan doen;
- wie je aanspreekpunt wordt;
- wat de werktijden zijn;
- waar je je moet melden;
- of je je eigen lunch mee moet nemen;
- of je werkkleding van het bedrijf aan moet.

Vertel dat jij het beste functioneert als je duidelijke instructies krijgt, het liefst op papier.

Werkkleding

Uiteraard zorg je ervoor dat je er goed verzorgd uitziet. Trek kleren aan waarin je je prettig voelt en probeer jezelf te blijven; ga je uit onzekerheid niet anders voordoen dan je bent.

BEGIN VAN JE STAGE

Het is handig om voordat je stage begint, alvast een keer naar het stageadres te gaan zodat je de weg kent en weet hoe lang je erover doet om er te komen. Zorg dat je er op tijd bent. Het mooiste zou zijn als het bedrijf al een heel draaiboek voor je klaar heeft liggen met jouw eventuele taken, maar reken er niet op. Neem daarom zelf een schriftje of een notitieblok mee waar je alles in op kunt schrijven wat belangrijk is. Bijvoorbeeld:

- wie je aanspreekpunt is en hoe iedereen heet;
- wat je moet doen en hoe dat moet;
- waar bepaalde dingen staan.

Als er iets niet duidelijk is, vraag het dan, om misverstanden en irritaties te voorkomen!

STAGEVERSLAG

Als je stage loopt, moet je ook een stageverslag schrijven, zodat de school en jij een goed beeld kunnen krijgen van hoe het is gegaan.

Meestal geeft je school je een formulier dat je op de laatste dag van je stage in moet vullen, samen met de stagebegeleider van het bedrijf waar je stage hebt gelopen. Mocht je geen stageformulier van school krijgen, dan kun je de volgende richtlijn gebruiken voor het schrijven van een stageverslag:

- Begin met waarom je deze stageplek gekozen hebt.
- Bedank de mensen die je wegwijs hebben gemaakt op je stageadres.
- Vertel wat je verwachting was en wat ervan is uitgekomen.
- Beschrijf beknopt wat je allemaal hebt gedaan, wat er wel of niet goed ging en wat je hebt geleerd.
- Vertel of de stage je mening heeft veranderd over dit beroep, of dat het precies was zoals je had verwacht.

Een bijbaantje of vakantiewerk

De belangrijkste reden voor jongeren om een baantje na schooltijd of in de vakantie te nemen, is dat je er geld mee verdiend, maar het is ook fijn om in de vakantie iets te doen te hebben zodat je een bepaalde regelmaat hebt.

Wat kun je zoal doen? Een aantal voorbeelden.

- Een krantenwijk: iedere ochtend heel vroeg of aan het eind van de middag een krant bezorgen, of een paar keer per week huis-aan-huisbladen of folders.
- Werken in een winkel: vakken vullen, opruimen in het magazijn, achter de balie staan of aan de kassa.
- In de horeca: bedienen van klanten of afwassen.
- Schoonmaken: via een schoonmaakbedrijf of bij mensen thuis.
- Werken in landbouw of veeteelt: in de stal of op het land.
- Pizza's bezorgen.

EEN BAANTJE VINDEN

Een leuke bijbaan vinden is niet altijd makkelijk. Het is belangrijk dat je zelf actie onderneemt. Je kunt natuurlijk bij de supermarkt of in een andere winkel vragen of ze iemand nodig hebben, maar er zijn nog een heleboel andere dingen die je kunt ondernemen:

- Advertenties bekijken in de krant of supermarkt. Veel bedrijven plaatsen vacatures in kranten, vooral in de zaterdagkranten staan er veel. Vergeet vooral de huis-aan-huisbladen en de regionale krant niet.
- Praten met vrienden en kennissen. Vertel zo veel mogelijk mensen dat je op zoek bent naar een baantje, misschien weten zij nog iets.
- Zoeken op internet. Er zijn veel verschillende websites waar vacatures op staan. Sommige sites zijn gespecialiseerd in baantjes voor scholieren.
- Langs een uitzendbureau gaan; in iedere wat grotere plaats zit er wel een, of meer dan een. Het is slim om je in te schrijven bij meerdere bureaus, het is toch gratis. Als je te veel

baantjes krijgt aangeboden, of je vindt het baantje niet leuk, kun je altijd weigeren.

- Een open sollicitatie sturen. Als er een bedrijf is waar je graag wilt werken maar ze hebben geen vacature, dan kun je een open sollicitatie doen door een brief te schrijven of te bellen om te vragen of ze niet toch iemand nodig hebben.
- Gebruikmaken van je stage of school; als je snuffelstage bevalt, kun je vragen of ze misschien werk voor je hebben voor de avonden, weekenden of de vakantie.

Zoek een baantje dat bij je past! Bedenk van tevoren met je ouders of je in een bepaald bedrijf goed zou kunnen functioneren, zodat het geen teleurstelling wordt – bij Jeroen ging het eerst even mis toen hij aan zijn bijbaantje begon.

> Jeroen: 'Ik ben vakkenvuller bij de supermarkt en kan dat echt heel goed, maar als ik heel geconcentreerd bezig was, kwam er soms ineens een klant die me achter mijn rug aansprak om iets te vragen. Ik schrok me dan rot en gaf dan geen antwoord. Een andere klant tikte me onverwacht op mijn rug en ik schrok zo erg dat ik tegen haar begon te schreeuwen. Mijn baas was super boos op me en wilde me niet meer. Toen is mijn moeder meegegaan om het uit te leggen en nu mag ik 's avonds vakken vullen als er geen klanten zijn.'

VAN JE BAANTJE EEN SUCCES MAKEN

Het is heel erg belangrijk dat je goed bent voorbereid op wat een baantje inhoudt, zodat je precies weet wat je te wachten staat. Onverwachte dingen kunnen immers behoorlijk wat stress opleveren en daar zit je niet op te wachten. Wat bij een stage van belang is, is ook hier belangrijk (zie pagina 94-95).

Tip!
Als je iets niet snapt, vraag dan altijd om uitleg!

Herman: 'Ik werk in een bedrijf waar ik adresstickers op enveloppen moet plakken en sorteren op postcode. De eerste dag ging ineens iedereen weg en ik snapte er niks van. Ik had enorme honger, maar durfde mijn boterhammen niet op te eten, omdat ik niet wist of dat mocht. Later vroeg iemand waarom ik niet mee was gaan lunchen, maar ik had het gewoon niet begrepen. Dat heb ik toen gezegd. Nu zeggen ze het iedere keer als ze gaan lunchen en dan ga ik mee om mijn boterhammen op te eten.'

11
Ik zie het aan je gezicht

Mensen zonder autisme leren al heel jong om uit de houding en gezichtsuitdrukkingen van anderen te snappen wat ze bedoelen, ook als er niets bij wordt gezegd. Een combinatie van de stand van de wenkbrauwen, ogen, mond en lichaamshouding vormen samen heel veel codes die, net als woorden, heel veel kunnen zeggen. Maar je moet ze wel kunnen decoderen! Oftewel, je moet lichaamstaal kunnen 'lezen'. En daar hebben mensen met autisme vaak moeite mee, omdat het geen aangeboren vaardigheid is. Daardoor kan het regelmatig gebeuren dat je de bedoeling van andere mensen net niet goed begrijpt en dat kan voor lastige situaties zorgen. Mensen vertellen niet altijd hoe ze zich voelen of wat ze bedoelen, want ze gaan ervan uit dat de ander 'dat wel ziet'.

Je kunt het lezen van lichaamstaal wel proberen te leren, door het heel veel te oefenen, maar je moet dan wel goed weten waar je op moet letten. Het is natuurlijk ook niet zo dat mensen met autisme helemaal geen lichaamstaal begrijpen. Sommige codes, voor bijvoorbeeld boosheid, blijdschap en verdriet, herken je wel. Maar mensen met autisme begrijpen soms de achterliggende bedoeling niet en ze vinden het moeilijk in te schatten hoe blij, boos of verdrietig iemand precies is. Ook weten ze niet altijd wat er dan van hen wordt verwacht.

Je weet zelf het beste wat je wel en niet kunt op het gebied van lichaamstaal en waar je graag nog meer over zou willen leren. Er zijn heel veel studies en wetenschappelijke boeken over lichaamstaal – ook wel non-verbale communicatie genoemd. Maar ik wil jullie hier graag iets op een begrijpelijke manier over uitleggen. Daarom heb ik een selectie gemaakt van relevante informatie van de site www.lichaamstaal.com en uit het boek *Communicatieleer* van Frank Oomkes. Door de grote hoeveelheid informatie die je op deze site en in dit boek kunt vinden, zou je wellicht het overzicht kwijtraken, dus heb ik wat dingen voor je op een rijtje gezet.

Aankijken

Voor mensen met autisme is het vaak heel moeilijk om iemand wat langer of zelfs kort aan te kijken. En dat is niet zo raar, want op dat moment zie je alle codes door elkaar die zo lastig te kraken zijn – en dat is heel verwarrend. Toch is aankijken heel belangrijk voor het zenden en ontvangen van de lichaamstaalcodes. En als je die codes wat beter kent, is het misschien ook minder moeilijk om een ander aan te kijken. Mensen krijgen een vervelend gevoel wanneer hun gesprekspartner hen niet aankijkt. *Iemand aankijken is een belangrijk communicatiemiddel.*

Je kijkt iemand tijdens het praten niet constant aan. Daar zou je die ander behoorlijk mee op zijn zenuwen werken. Het werkt zo: je kijkt iemand kort aan als je iets wilt gaan zeggen en als je gaat praten, dwalen je ogen meestal wat af. Als je wilt dat iemand goed naar je luistert, kijk je hem weer aan. Je kunt dan bovendien zien of er nog naar je wordt geluisterd. Vaak knikt iemand dan en kijkt hij of zij je aan. Dat knikje doen mensen meestal om de ander aan te moedigen door te gaan met praten en om aan te geven dat ze luisteren en begrijpen wat je bedoelt. Als de ander dat niet doet, kun je je afvragen of hij jouw verhaal nog wel zo interessant vindt. Soms willen mensen je verhaal wel horen, maar hoeven ze niet alle details van het onderwerp te weten. Dan luisteren ze niet meer zo goed en gaan ze wat rondkijken. Als je twijfelt of ze je verhaal nog verder willen horen, vraag het dan gewoon en draaf niet door.

WAT GEBEURT ER BIJ HET AANKIJKEN?

Als je elkaar aankijkt, geef je met je ogen onbewust tekens aan de ander. Maak je niet ongerust als je ze niet ziet, want niemand ziet ze bewust. Toch worden die signalen door de ander ontcijferd of gedecodeerd. Het zijn dus niet echt onzichtbare tekens, maar je merkt ze gewoon niet bewust op. Wat zou je bijvoorbeeld kunnen zien als je heel erg goed oplet? Als iemand opgewonden is of angstig, worden de pupillen wat groter en knippert iemand vaker. Als je nog niet weet of je iemand kunt vertrouwen, knijp je je oogleden heel even samen. Bij verdriet lopen je ogen vol, ook al wil je niet huilen.

Sterk staan

Als je wel eens een cursus sociale vaardigheden hebt gedaan, ben je vast al op allerlei manieren bezig geweest om emoties te herkennen. Vaak zijn dat de zogeheten basisemoties, zoals boosheid, angst, blijdschap en verdriet. Meestal leer je dan om naar gezichten te kijken, maar ook de houding die iemand aanneemt, is heel belangrijk.

In de *Oudergids* heb ik het gehad over het 'sterk staan' en het belang daarvan bij alle contacten. Als je je schouders laat hangen en iemand met gebogen hoofd tegemoet treedt, dan nodig je niet uit tot contact. Als je iemand aankijkt, met een rechte rug en opgeheven hoofd, straal je uit dat je niet bang bent en dat je 'sterk staat'.

Pubers beoordelen elkaar vaak op houding en uitstraling. Als je weinig oogcontact maakt en in elkaar gedoken staat of zit, met afgezakte schouders en een afgewend lichaam, straal je uit dat je weinig interesse hebt in alles en iedereen om je heen. Zo'n houding nodigt natuurlijk niet echt uit tot het maken van contact. Je wordt door anderen algauw als een 'loser' gezien.

Sterk staan

Als je sterk staat of zit, met een rechte rug en opgeheven hoofd, en je kijkt de ander aan, dan straal je zelfvertrouwen uit. Je voelt je dan ook meteen zelfverzekerder. Zoals je lichaamhouding is, zo voel je je ook. Ga dus eens bewust proberen sterk te staan of te zitten en let op het verschil. Zelfs als je somber bent, helpt het om je stemming te verbeteren als je bewust rechtop loopt of zit.

Spiegelen

Je kunt nog iets anders leuks doen met je houding: 'spiegelen'. Als kind leerde je onbewust dingen omdat je je ouders of andere mensen om je heen nadeed, ook in hun houding en in hun bewegingen. Je deed vooral de mensen na die je aardig vond, ook al deed je dat niet bewust. Maar ook nu nog kopieer je iemands houding als je de ander aardig vindt, of wanneer je het eens bent met wat hij zegt. Dat gebeurt helemaal onbewust. Je weet niet dat je het doet, en degene die je nadoet, merkt het niet echt op, maar krijgt hierdoor wel het 'gevoel' dat zij of hij begrepen wordt en aardig gevonden wordt.

Het is leuk om te weten dat een ander zich begrepen voelt en het gevoel heeft dat jij hem of haar aardig vindt wanneer je zijn of haar houding kopieert. Vaak zal diegene jou dan ook aardiger vinden. Je kunt dus ook bewust de houding van je gesprekspartner imiteren. Het gekke is dat de ander het niet zal merken. Als je het tenminste niet te opvallend doet natuurlijk, anders gebeurt waarschijnlijk het tegenovergestelde van wat je wilt.

Je kunt dit alleen leren als je het vaak oefent. Kijk maar eens om je heen of je het ziet gebeuren bij andere mensen die met elkaar praten. Als je het zelf gaat oefenen, moet je vooral letten op de stand van armen en benen en de richting van iemands lichaam. Kijk dan naar je eigen lichaamshouding. De eerste keer dat je merkt dat je inderdaad hetzelfde zit of staat als de ander, voelt het heel gek. Als je er een beetje aan gewend bent, kun je proberen om bewust iemands houding na te doen en kijken of je daar een reactie op krijgt. Het voelt in het begin waarschijnlijk vreemd en onecht en wellicht heb je het gevoel dat de ander het zal merken. Oefen daarom eerst met een vriend of familielid, en vraag of hij of zij het heeft gemerkt. Na een poosje oefenen, zal het steeds makkelijker gaan en op een gegeven moment kun je het zonder erbij na te denken. Je zult merken dat je daardoor makkelijker contact maakt met mensen.

Oefenen met de televisie

Nu je wat meer weet over aankijken en lichaamstaal, zou je ook eens kunnen oefenen bij de televisie. Kijk en luister maar eens naar een gesprek op de televisie en let dan goed op de houdingen en bewegingen van de sprekers. Als je begrijpt hoe je kunt zien hoe ze zich in hun gedrag aan elkaar aanpassen, kun je ook het geluid eens uitzetten. Het zal je verbazen hoeveel je dan nog van het gesprek kunt volgen. Natuurlijk weet je niet meer waarover ze praten, maar je kunt bijvoorbeeld wel zien of de sprekers het wel of niet met elkaar eens zijn. Als ze het met elkaar eens zijn, zie je dat ze elkaar spiegelen en als ze het niet met elkaar eens zijn, zijn hun lichamen van elkaar afgewend. Als iemand bij voorbaat al niet van plan is naar de argumenten van de ander te luisteren, zit hij vaak rechtop met de armen gekruist voor zijn buik.

> Mensen met AS (Asperger-syndroom) zijn uiteindelijk wel in staat om zich sociale normen en regels eigen te maken, maar het gaat onhandig en er is een grote intellectuele inspanning voor nodig, net zoals de meeste mensen wiskunde leren. De meeste normale mensen met hun obsessie voor sociale interacties die wij onredelijk en hinderlijk vinden en die zo slecht aangepast zijn aan ons, zijn in onze ogen sociale Mozarts die intuïtief leren hoe ze vlot en creatief moeten omgaan met een heel complexe verzameling van regels en normen, kennelijk zonder enige moeite. En intussen zitten wij daar voor die partituur toonladders te oefenen en eenvoudige melodietjes te tokkelen, moeizaam noot voor noot.
>
> – Clare Sainsbury
> *Marsmannetje op school*

Aanraken

Aanraken en aangeraakt worden, is iets wat veel mensen met autisme niet leuk vinden. Bepaalde aanrakingen kunnen ook best verwarrend zijn. Je kan bijvoorbeeld aangeraakt worden door iemand van wie je het niet verwacht, of op een moment dat je het niet verwacht. Nou zijn er veel manieren waarop je iemand kunt aanraken, of aangeraakt worden, en al die aanrakingen hebben ook nog eens andere betekenissen. Misschien kun je aanrakingen beter verdragen als je snapt wat ermee wordt bedoeld.

AANRAKEN ALS GROET OF TROOST

Een handdruk, een vriendelijk schouderklopje, een gabberklap of een kus of kussen als je ergens binnenkomt of weggaat, moet je zien als rituelen. Je kunt er eigenlijk niet onderuit. Als je het niet fijn vindt om gezoend te worden, kun je je arm uitstrekken en hem uitgestrekt houden om te laten zien dat je liever een hand geeft. Dat weerhoudt de ander ervan om jou te zoenen.

Op momenten dat iemand je wil troosten, bijvoorbeeld omdat je bent gevallen of omdat je verdrietig bent, kan het zijn dat een ander je hand wat langer vasthoudt, je een schouderklopje geeft, of je omarmt of omhelst. Zo willen mensen je steunen of troosten. Als je dat niet fijn vindt, kun je zeggen dat je dat liever niet hebt. Mensen zullen dan eerst wel even vreemd opkijken, maar ze zullen het meestal wel respecteren. Als je zelf iemand wilt troosten, moet je eraan denken dat je niet zomaar een vreemde op deze manier kunt aanraken zonder er iets bij te zeggen. Je kunt dan bijvoorbeeld zeggen: 'Wat ontzettend rot voor je. Kan ik je helpen?'

EEN TOEVALLIGE AANRAKING

Soms raakt iemand je per ongeluk aan, bijvoorbeeld als je samen aan tafel zit. Op school, in een winkel of op straat kan het gebeuren dat mensen gedachteloos tegen je aan botsen. Dat gebeurt nooit expres en ondanks het feit dat je daar last van kunt hebben, is het niet gepast om iemand daarop aan te spreken of om er boos over te worden. Als jou zoiets overkomt, bied dan, om misverstanden te voorkomen, je verontschuldigen aan. 'Sorry' zeggen is genoeg. Het kan ook dat iemand je iets geeft, een pen bijvoorbeeld, en je hand aanraakt. Jij kunt dat misschien vervelend vinden, maar die ander zal het waarschijnlijk niet eens merken en ervan schrikken als je er iets over zegt.

AANRAKEN OM AANDACHT TE KRIJGEN

Als je iemands aandacht wilt, kun je hem bijvoorbeeld een tikje op zijn schouder geven. Je moet zoiets natuurlijk nooit lomp doen. Een dreun geven of met je vinger in iemands bovenarm porren, kan iemand behoorlijk boos maken. Als je er iets bij zegt, wordt een gewone aanraking om aandacht te vragen eerder begrepen. Als iemand jou op de schouder tikt om aandacht te vragen en je door de schrik misschien wat heftig reageert, zeg dan dat je schrok en moeite hebt met zo'n benadering. Dezelfde persoon zal je een volgende keer dan vast anders benaderen.

SPORTIEVE AANRAKING

Bij spelletjes en sporten raak je elkaar vaak aan – bij vechtsporten zoals judo, worstelen en boksen staat lichaamscontact zelfs centraal. Het aanraken gebeurt daarnaast veel bij teamsporten zoals rugby en voetbal. Het is onderdeel van het spel, maar gebeurt ook bij het scoren van een doelpunt: dan springen de spelers op elkaar en hangen ze om elkaars nek. Helaas kun je op het veld ook flink onderuit worden gehaald, niet echt sportief natuurlijk. Dit moet je natuurlijk mee laten wegen bij het kiezen van een sport.

AANRAKEN OM VERZORGD TE WORDEN

Als je in het ziekenhuis terechtkomt, zul je verzorgd moeten worden en de verpleegsters, artsen en specialisten zullen je moeten aanraken. Maar ook de huisarts, tandarts, kapper of fysiotherapeut zal je aanraken om je te helpen. Als je problemen hebt met dit soort aanrakingen, vraag dan aan diegene die je aan gaat raken of hij je eerst kan vertellen wat er gaat gebeuren, zodat je je erop kunt voorbereiden. Dan zal het minder bedreigend zijn.

AGRESSIEVE AANRAKING

Jammer genoeg zijn er ook agressieve vormen van aanraken. En misschien weet je uit eigen ervaring dat je kunt gaan slaan, stompen, schoppen, bijten en krabben als je in paniek bent of bang, onzeker of boos. Maar wat voor reden je ook denkt te hebben, *aanraken mag nooit ontaarden in het pijn doen of beschadigen van een ander.* Jij niet bij een ander en een ander niet bij jou!

Zones

Bij contact met anderen moet je één ding goed onthouden: *houd afstand!*

Zo'n driekwart meter van mijn neus,
daar loopt mijn lichaamsgrens, ja heus,
En al die onbebouwde lucht ertussen
Die is van mij, een lucht(ig) kussen.
Dus vreemdeling, tenzij je me begeert,
wil ik dat je manieren leert.
Passeer die grens vooral niet ruw:
Ik zal niet schieten, maar ik spuw.

– W.H. Auden, *Zo'n driekwart meter van mijn neus*
Vertaling: Frank Oomkes

Sommige mensen met autisme vinden het lastig om de afstand die er tussen hen en een gesprekspartner zou moeten zijn te bepalen. De meeste houden graag afstand, maar andere willen graag zo dicht bij de ander staan, dat die zich daar onprettig bij voelt. Wat is nou gewoon? Dat is natuurlijk moeilijk te zeggen, maar toch zijn er wel wat algemene 'regels' waar mensen zich meestal aan houden. Misschien heb je er iets aan.

DE INTIEME ZONE

Als mensen elkaar goed kennen en vertrouwen, staan ze dichter bij elkaar dan mensen die vreemden voor elkaar zijn. De intieme zone tussen mensen ligt tussen de 0 en 45 centimeter om je heen – ongeveer een armlengte. Je bent dan zo dicht bij elkaar dat je elkaar kunt ruiken en elkaars lichaamswarmte en adem kunt voelen. Alleen mensen om wie je veel geeft en die je vertrouwt laat je hier toe, bijvoorbeeld je vriend of vriendin of een familielid, anderen eigenlijk niet. Een uitzondering daarop zijn natuurlijk hulpverleners of medici (de huisarts of tandarts) die je behandelen als er iets met je is.

Soms zul je toch een vreemde moeten toelaten in je intieme zone, bijvoorbeeld in een drukke supermarkt, in het openbaar vervoer of in een volle lift. Je kunt dan laten blijken dat je je daarbij niet op je gemak voelt door je hoofd of lichaam weg te draaien, geen oogcontact te maken, niet te spreken of een 'gesloten' houding aan te nemen met je armen voor je lichaam. Als je de ander per ongeluk aanraakt, of hij jou, zul je merken dat je spieren zich spannen in reactie op het onverwachte en ongewenste contact. Als je iemand per ongeluk aanraakt, kun je het beste 'sorry' zeggen. Dan kun je allebei weer ontspannen.

DE PERSOONLIJKE ZONE

De persoonlijke zone ligt tussen de 45 en 120 centimeter om je heen. De meeste gesprekken vinden in deze zone plaats. Je kunt dan met iemand praten zonder je stem te verheffen en je hebt tijdens het gesprek genoeg ruimte om elkaar aan te kijken, om je heen te kijken en de gezichtsuitdrukkingen en bewegingen van de ander goed te zien. Bovendien sta je zo ver van elkaar dat je met meerdere mensen tegelijk kunt praten. Deze zone biedt genoeg veiligheid om vertrouwelijke zaken te bespreken. Als je verder van iemand af gaat staan, is dat veel lastiger en zal je gesprekspartner je waarschijnlijk *afstandelijk* vinden.

DE SOCIALE ZONE

De sociale zone ligt tussen de 120 en 360 centimeter om je heen. In deze zone vindt het sociale contact op bijvoorbeeld verjaardagsfeestjes en tijdens maaltijden plaats. Bij deze afstand kun je elkaar niet aanraken. Als je iets wilt bespreken wat niet al te persoonlijk is, maar wat ook niet iedereen hoeft te horen, is deze zone erg geschikt. Tijdens het gesprek moet je elkaar wel aankijken, maar dat is makkelijker te verdragen omdat je genoeg ruimte hebt om ook even weg te kijken.

In het openbaar vervoer heb je ook zo'n sociale zone. Als je tegenover iemand komt te zitten, is het moeilijk om hem te negeren. Je kunt je er allebei ongemakkelijk bij voelen. Je doet soms net alsof je erg geïnteresseerd bent in je boek, muziek of wat je buiten ziet. In ieder geval probeer je allebei om geen oogcontact te maken. Meestal is het beter om die ander gewoon even te groeten als je gaat zitten, dat voorkomt deze spanning.

DE PUBLIEKE ZONE

De publieke zone ligt tussen de 360 en 750 centimeter. Bij de publieke ruimte kun je je bijvoorbeeld een klas voorstellen. De mensen in de klas vormen een groep om samen naar iets te kijken of te luisteren. De leraar moet luid en duidelijk spreken om verstaanbaar te zijn. Omdat iedereen de spreker kan horen, gaat het om onpersoonlijke informatie.

Ter afsluiting

Je kunt door goed te kijken nog veel meer te weten komen over iemand. Je let dan bijvoorbeeld op zijn kleding, de manier waarop hij loopt, hoe hij zijn hoofd houdt, de gebaren die hij gebruikt en zijn intonatie. Van iemands gezicht kun je ook van alles aflezen – aan de stand van de wenkbrauwen, ogen, mond, enzovoort. Het gaat te ver om daar nu over uit te wijden, voor meer informatie kun je naar de site www.lichaamstaal.com surfen. Daar kun je ook testjes doen om erachter te komen hoe goed jij lichaamstaalcodes kunt kraken en je vindt er spelletjes om te oefenen met lichaamstaal.

12
Gezocht: vriend!

Als je in de puberteit wat meer afstand van je ouders gaat nemen, gaan leeftijdgenoten en vooral vrienden een steeds belangrijkere rol spelen in je leven. Daarover gaat dit hoofdstuk, waarvoor ik onder meer gebruik heb gemaakt van de site www.opvoedadvies.nl.

Vrienden kunnen je op emotioneel gebied steunen en solidariteit geven. Samen is het veel makkelijker om je in nieuwe situaties te begeven dan in je eentje. Met vrienden kun je ook vertrouwde of intieme dingen delen en zij kunnen je aanmoedigen in sociale situaties. Met vrienden kun je samen dingen doen en interesses delen.

Je hoeft niet veel vrienden te hebben, één goede vriend is al heel kostbaar. Hij of zij kan je bovendien veel leren over jezelf. Door een vriend ga je nadenken over wie je bent, waar je voor staat, wat je wilt en hoe anderen naar jou kijken en in een vriendschap leer je zelf een mening te vormen. Uit de reacties van een vriend kun je ook opmaken wat anderen van je vinden: mooi, lief, grappig, stoer, opschepperig, verlegen, sportief, enzovoort.

Voor mensen met autisme is het geen gemakkelijke opgave om vrienden te maken en te houden. Het vergt veel inspanning, maar met de volgende tips kom je misschien wat verder.

Er zijn verschillende soorten vriendschappen. Je kunt één op één bevriend zijn – daarbij doe en deel je dingen samen en dat voelt heel veilig, maar als je ruzie krijgt, sta je soms ineens alleen. Je kunt ook deel uit maken van een klein kliekje of groepje dat met elkaar bevriend is en gezamenlijk allerlei dingen onderneemt. Daarnaast zijn er ook grotere vriendengroepen. Vaak is daarin meer druk om je aan te passen en dat is niet altijd positief. Je kunt je soms gedwongen voelen dingen te doen die je eigenlijk liever niet zou doen, maar die je niet durft te weigeren. Het gevaar bestaat dat je je bij een 'verkeerde' vriendengroep aansluit, omdat je misschien moeite hebt om te zien wie deugt en wie niet deugt.

Hoe herken je goede vrienden?

Een vriend is pas een vriend als hij alles van je weet en toch je vriend wil blijven.

Echte vriendschap heeft een aantal kenmerken. In ieder geval kun je van vrienden verwachten dat ze:

- aardige dingen over jou zeggen;
- in gesprekken ook in jou geïnteresseerd zijn en niet alleen over zichzelf praten;
- altijd voor je klaar staan;
- zich aan gemaakte afspraken houden;
- het leuk vinden om bij je te zijn;
- uit zichzelf opbellen;

- met je kunnen lachen;
- nooit iets over jou zullen doorvertellen;
- eerlijk tegen je zijn;
- je eerlijke kritiek geven, zonder dat ze boos worden;
- niet achter je rug over je roddelen;
- je het gevoel geven dat je belangrijk voor ze bent;
- interesses met je willen delen;
- trouw zijn.

Vrienden

Als je vrienden deze eigenschappen bezitten, zijn het goeie vrienden. Draai de rollen ook eens om: ben jij een goede vriend of vriendin? Ga bij alle punten eens na of jij daar aan voldoet.

Sommige pubers hebben nooit vrienden over de vloer en zijn buiten schooltijd bijna altijd thuis, daardoor lijkt het of ze geen vrienden hebben. Maar dat hoeft niet altijd zo te zijn. Er zijn ook pubers die op school voldoende vrienden hebben. Zij hebben genoeg aan hun contacten op school, waardoor ze buiten school minder contact zoeken. Er zijn ook jongeren die niet zo'n behoefte hebben aan contact met leeftijdgenoten. Zij voelen zich er prima bij weinig of geen vrienden te hebben. Hier is niets mis mee.

Er zijn ook pubers die wel vrienden willen, maar er niet in slagen om vriendschap te sluiten. Soms proberen ze om vrienden te 'kopen' door regelmatig hun lunch te betalen of dingen voor ze te kopen of te doen. Dat is niet de manier waarop je vrienden krijgt – de kans is juist groot dat die mensen je gaan gebruiken en uitbuiten. Een vriendschap kunnen aanknopen en onderhouden vraagt natuurlijk om sociale vaardigheden, en dat is nou helaas iets waar pubers met autisme vaak moeite mee hebben.

Hoe maak je vrienden?

Een vreemde is misschien een vriend die je nog niet kent.

Je kunt behoorlijk onzeker worden als je graag vrienden wilt maken en het maar niet lukt. Misschien denk je dat het aan jou ligt, en dat niemand jou de moeite waard vindt, maar dat is het niet: je moet er zelf iets voor doen. Vrienden komen niet altijd vanzelf op je af en je kunt ze ook niet bestellen via internet of zo.

Je kunt je misschien voorstellen dat je niet zomaar op iemand afstapt met de vraag: 'Wil je mijn vriend zijn?' Zoiets gaat in stapjes. Vaak ga je al een tijdje met iemand om en merk je dat hij dezelfde interesses heeft als jij en jou ook wel aardig vindt. Soms zit er wel zo iemand bij je in de klas, maar dat hoeft natuurlijk niet altijd. Je kunt ook bevriend raken met iemand uit een andere klas, van het sporten of met een buurjongen of -meisje.

Ken je iemand nog niet zo goed, maar zou je graag meer contact willen in de hoop dat diegene een vriend kan worden, dan zul je zelf de moed op moeten brengen om contact te leggen. Blijf wel wie je bent! Je kunt geen vrienden maken door te doen alsof je van voetbal houdt terwijl dat helemaal niet zo is, of door je kledingstijl aan te passen.

CONTACT MAKEN

Misschien heb je wel eens met verbazing staan kijken naar andere pubers die moeiteloos contact maken. Ze zeggen 'hoi' en sluiten zich ergens bij aan, meer schijnt er niet voor nodig te zijn. Maar niet voor iedereen is dit zo vanzelfsprekend. Je kunt je soms wanhopig en verloren voelen als je wel contact wilt maken, maar het niet lukt.

Soms is contact maken niet je eigen keuze, bijvoorbeeld als je voor het eerst in een nieuwe klas komt of naar een sportclub gaat. Dan is het vaak voldoende als je alleen je naam zegt en goed luistert naar de namen van anderen. Probeer die te onthouden, want deze mensen ga je vaker tegenkomen. En wie weet zit er wel een toekomstige vriend bij.

Als je op een verjaardag bent waar je niet iedereen kent, moet je ook contact maken. Omdat je dan wat langer bij elkaar zit, is alleen je naam zeggen en de naam van de ander onthouden niet genoeg. Je kunt dan kort iets over jezelf vertellen en dan iets aan de ander vragen. Bijvoorbeeld: 'Ik zit bij ... [de jarige] op school, waar ken jij hem van?'

Tip!
Vergeet nooit de ander aan te kijken als je iets vertelt.

Als je nog niet zo veel contact met elkaar hebt gehad, probeer dan eerst eens een praatje te maken. Zelf een gesprekje beginnen geeft je het gevoel de regie in handen te hebben en dat maakt het minder griezelig. Als je uit jezelf contact met iemand wilt maken, wil dat zeggen dat je geïnteresseerd bent in die andere persoon en meer over hem of haar wilt weten. Je wilt uiteindelijk met diegene kletsen, sporten of werken. Dan kun je na het uitwisselen van jullie namen vragen gaan stellen om die ander beter te leren kennen. Bedenk eerst eens bij jezelf wat je graag van die ander zou willen weten en verzin daar vragen over. Erg persoonlijke vragen kun je in het begin niet stellen, daarvoor moet je elkaar eerst wat langer en beter kennen. Je kunt dus niet zomaar tegen iemand zeggen die je voor het eerst ziet: 'Waarom loop jij zo raar?' Het is verstandig om eerst wat algemene dingen aan die ander te vragen, zoals:

- Op welke school zit je?
- Waar woon je?
- Doe je aan sport?
- Wat vind je leuk om te doen?
- Hou je van lezen?

Geef de ander de kans om te antwoorden en dingen te vragen, want je gesprekspartner wil vast ook wat meer over jou te weten komen. Vertel over de dingen die jij leuk vindt om te doen, dan kun je erachter komen of er iets is wat jullie allebei leuk vinden.

Tip!
Kijk de ander niet alleen aan als je zelf praat, maar ook als je luistert.

FAVORIETE ONDERWERPEN

Let op als je favoriete onderwerpen hebt waarover je niet uitgepraat raakt:

- Neem jezelf voor maar kort iets te zeggen. Je kunt wat je wilt gaan zeggen ook al van tevoren bedenken. Als je bijvoorbeeld dol op computerspelletjes bent, neem je jezelf voor alleen te vertellen dat je erg van computerspelletjes houdt en dat je er alles over weet.
- Vertel alleen meer over een onderwerp als de ander ernaar vraagt.
- Als je twijfelt of je er wel of niet over kunt praten, *vraag het dan gewoon.*
- Kijk naar het gezicht van de ander om te zien of hij het nog leuk vindt wat je vertelt.
  - Kijkt de ander je nog aan, of kijkt hij ergens anders naar?
  - Kijk hoe de ander zit of staat. Mensen gaan vaak een beetje wiebelen en rondkijken als ze het gesprek niet meer zo leuk vinden.
  - Ze vinden het nog leuk als ze er zelf iets over vragen.
  - Als je niet zo goed weet of de ander het nog leuk vindt *vraag het dan gewoon.* Je zegt dan: 'Vind je het nog leuk wat ik vertel of zal ik stoppen?'

Vriendschap is rekening houden met de ander.

LUISTEREN

Vrienden zijn mensen die vragen hoe het met je gaat en ook nog wachten op antwoord.

Als je met iemand praat, is het fijn om te merken dat hij naar je luistert. Het is per slot van rekening de bedoeling dat je *met* iemand praat en niet alleen *tegen* iemand. De ander wil ook graag aan jou kunnen merken dat je naar hem luistert als hij iets vertelt. Hoe doe je dat nou?

- Zorg ervoor dat je de ander altijd aankijkt als hij spreekt. Als je het moeilijk vindt de ander in de ogen te kijken, omdat dat verwarrend is, kun je ook tussen iemands ogen kijken, precies boven aan de neus. Jij kunt je dan gewoon concentreren, terwijl dit voor de ander niets uitmaakt.
- Terwijl de ander spreekt, kun je af en toe knikken of 'hm' zeggen, zodat de ander kan merken dat je hem begrijpt.
- Als je iets niet begrijpt, vraag het dan gewoon.
- Stel tussendoor gerust een vraag. Daarmee laat je merken dat je echt luistert en geïnteresseerd bent.
- Geef ook antwoord.
- Wacht met jouw verhaal tot de ander is uitgesproken, ook al is dat soms best moeilijk. Als je bang bent dat je vergeet wat je tussendoor had willen zeggen, leg dan een blaadje naast je neer waar je aantekeningen op kunt maken. Het is wel fijn als je dat van tevoren tegen die ander zegt, anders snapt hij niet wat je aan het doen bent.

COMPLIMENTEN GEVEN

Het is meestal fijn als iemand iets aardigs tegen jou zegt. Sommige mensen worden daar wat verlegen van en weten dan niet zo goed hoe ze moeten reageren; ze zeggen dan niets terug of mompelen maar wat. Degene die het compliment gaf, vindt dat natuurlijk niet zo leuk, want hij wil juist aardig zijn en zal de volgende keer niet zo makkelijk weer iets aardigs zeggen. Laat daarom gerust merken dat je het leuk vindt als iemand iets aardigs tegen jou zegt en zeg iets aardigs terug. Als je niet zo goed weet wat je moet zeggen, kun je gewoon 'dank je wel' zeggen. Als je het moeilijk vindt om iets te zeggen, dan kun je knikken of glimlachen. *Kijk de ander in ieder geval aan!*

Probeer af en toe ook eens iets aardigs tegen een ander te zeggen, want als je vrienden wilt maken en houden, is het belangrijk dat je aardig tegen elkaar bent. Als je het moeilijk vindt, kun je van tevoren bedenken wat je tegen de ander gaat zeggen en wanneer.

Er is van alles wat je in zo'n geval kunt zeggen. Misschien vind je wel dat de ander iets heel goed kan of durft – daar kun je dan iets over zeggen. Als je ziet dat iemand naar de kapper is geweest, of iets nieuws aanheeft, zeg dan dat je het hebt gezien en dat je het leuk vindt. Jij vindt het toch ook leuk als iemand zoiets opmerkt? Als je het niet leuk vindt, zeg je dat natuurlijk niet, alleen als je mening echt gevraagd wordt. Denk dan eerst goed na over wat je gaat zeggen! Het is niet leuk voor de ander als jij zegt dat je zijn kapsel of kleding stom vindt. Je kunt dan bijvoorbeeld wel zeggen dat je het andere kapsel leuker vond of dat je nog even moet wennen omdat het zo anders is. Zo doe je de ander geen verdriet en is het makkelijker om vrienden te blijven.

Wil het allemaal nog niet zo lukken om vrienden te maken, overleg dan eens met je ouders of je een training voor sociale vaardigheden mag gaan volgen. Die worden onder andere gegeven door bureau jeugdzorg en de Riagg, maar ook door zelfstandig gevestigde psychologen en pedagogen.

Bevreesd voor een feest?

Als je een vriend hebt, of een groep vrienden, zit het er dik in dat je ook wordt meegevraagd naar feestjes. Als je feestjes leuk vindt, is er natuurlijk niets aan de hand. Geniet er dan van. Maar als je feesten niet leuk vindt, hoef je je daar echt niet voor te schamen. Niet iedereen vindt feesten leuk, daarin ben je heus niet de enige. In reclames, op tv en in verhalen worden feesten vaak veel leuker voorgesteld dan ze in werkelijkheid zijn.

Er zijn allerlei feesten: verjaardagsfeesten, schoolfeesten, examenfeesten, huwelijksfeesten, kerstmis, oud en nieuw, carnaval, en ga zo maar door. Soms kun je er onderuit komen, maar soms zul je echt moeten gaan. Hier volgen wat suggesties (afkomstig van de Anders Survival Kit: http://home.wanadoo.nl/incao/as/fsk.htm), waardoor feesten aangenamer kunnen worden, met minder spanningen.

- *Zeg het gewoon.* Er is misschien wel wat moed voor nodig, maar je krijgt echt meer begrip als je aan anderen vertelt waar je problemen mee hebt. De meeste mensen zijn zeker bereid om rekening met je te houden. Bovendien kijkt men dan minder vreemd op als je even weggaat, alleen wilt zijn, of eerder naar huis wilt gaan.

- *Helpen.* Als je het moeilijk vindt om sociaal te doen, kun je gaan helpen met afwassen in de keuken. Daar kun je dan wat rust zoeken. Je kunt ook drankjes en hapjes rondbrengen, muziek draaien of fotograferen. Zo kun je toch aanwezig zijn, maar zonder de druk om de hele tijd sociaal te moeten doen. Als je wilt, kun je af en toe een praatje maken, maar het is niet erg als je dat niet doet. Als er erg veel prikkels zijn, kun je best even buiten of op de gang gaan staan. Je kunt ook met één iemand apart praten op een rustige plaats.

- *Lang of kort blijven.* De meeste mensen gaan naar een feest om het leuk te hebben en willen het liefst tot het einde blijven. Maar als je niet zo van feesten houdt, kun je het voor jezelf een stuk aangenamer maken door maar even te gaan. De meeste mensen stellen het op prijs dat je toch de moeite hebt genomen om te komen. Bovendien is het makkelijker om korte tijd gezellig te doen dan lang. Je kunt dan met een goed gevoel weer gaan.

- *Samen uit, samen thuis?* Natuurlijk hoeft dat niet. Als je met meerdere mensen gaat, is het zelfs beter om voor eigen vervoer te zorgen. Je kunt dan weg wanneer je wilt, zonder dat de anderen met je mee moeten. Leg wel van tevoren aan de groep uit waarom je dat wilt. Het kan anders negatief overkomen. Accepteer dat anderen het feest wel leuk vinden en graag langer willen blijven – gun anderen een leuke tijd, en probeer niemand te dwingen om zich aan jou aan te passen. Laat mensen vrij om te blijven als ze dat willen, en laat mensen herrie maken als ze dat leuk vinden. Als het je te veel wordt, kun jij eerder weggaan. Als je uitlegt waarom, zal niemand je erop aankijken.

Tip!

Bij luidruchtige feesten zijn oordopjes een uitkomst.

Pesten of plagen?

Plagen is eigenlijk elkaar een beetje voor de gek houden. De een zegt iets en de ander reageert er wel of niet op. Degene die geplaagd wordt, kan zich best verdedigen, al doet hij dat niet altijd. Je voelt je uiteindelijk niet echt gekwetst, ook al vind je het niet echt leuk.

Pesten is iets anders dan plagen. Pesten is gemeen. Als je wordt gepest, heeft iemand, of soms een groep, macht over je en ben je niet meer in staat jezelf te verdedigen. Als je voor jezelf op probeert te komen, wordt het meestal direct afgestraft door nog erger pesten. Op www.pesten.net vind je heel veel goede en actuele informatie over pesten, het belangrijkste vat ik hier samen.

Niemand wil gepest worden en niemand verdient het om gepest te worden, maar helaas worden er dagelijks heel veel kinderen én volwassenen gepest. Ze denken misschien, net als jij, dat ze helemaal alleen staan met hun probleem. Als je gepest wordt, is je leven letterlijk verpest. De angst en onzekerheid om opnieuw gepest te worden kunnen ervoor zorgen dat je nachtmerries krijgt en bang wordt om naar school te gaan. Soms krijg je ook allerlei lichamelijke klachten, zoals hoofdpijn, buikpijn, misselijkheid en zelfs overgeven. Je kunt er ook erg verdrietig van worden. De pesters kunnen het zo bont maken dat jij uiteindelijk zelf gaat geloven dat je stom, lelijk en waardeloos bent en dat er niets goed aan je is. Maar vergeet niet: *het oordeel van een ander zegt niets over hoe je echt bent.*

CYBERPESTEN

Er wordt tegenwoordig ook digitaal gepest – cyberpesten. Jongeren die leuk lijken, kunnen zich op internet soms gedragen als monsters. Bij digitaal pesten gaat het er vaak hard aan toe: schelden via chatprogramma's, bedreigingen via sms'jes, internetpagina's aanmaken met privégegevens van een ander of je computer infecteren met een virus, de mogelijkheden zijn eindeloos. Digitaal pesten heeft net als 'gewoon' pesten ernstige gevolgen.

PESTERS

Pesters doen vaak heel zelfverzekerd, maar meestal zijn ze heel onzeker en weten ze niet wat ze met zichzelf aan moeten. Het leven van anderen verzieken en over iets of iemand de baas spelen, geeft ze een kick. Daarmee proberen zij hun eigen onzekerheid en tekortkomingen te verbergen.

STOP HET PESTEN!

Als je gepest wordt, is dat absoluut niet iets om je voor te schamen. *Gepest worden is nooit je eigen schuld.* Niemand wil gepest worden en niemand verdient het om gepest te worden. Het is heel vernederend en veroorzaakt veel verdriet. Probeer niet de werkelijkheid te ontvluchten door je bijvoorbeeld op te sluiten in je kamer, zodat je niets met anderen te maken hoeft te hebben. Je houdt jezelf echt voor de gek als je veel televisie gaat kijken of computeren om er maar niet aan te hoeven denken. Hiermee creëer je je eigen wereld, ver weg van iedereen, ook van je vader en moeder, broer of zus. Die weten waarschijnlijk helemaal niet dat jij met een heel groot probleem rondloopt en kunnen je dan dus ook niet helpen. Jijzelf bent degene die het pesten kan stoppen, ook al klinkt dat misschien raar. De pester geeft immers niets om je gevoelens en wil je alleen maar kapot maken. Het pesten zal dus nooit stoppen als jij niets onderneemt en het toe blijft laten.

Helaas zijn jongeren met autisme een makkelijk doelwit voor pesterijen. Ze verraden iemand niet gauw en twijfelen heel lang of wat er gebeurt toevallig is, of dat het opzettelijk gebeurt, of misschien zelfs wel zo hoort. Pesters hebben algauw door dat jongeren met autisme naïever zijn en zich verbaal en fysiek niet zo goed kunnen verdedigen. De pestkoppen zullen beweren dat het een 'ongelukje' was of dat ze maar een 'grapje' maakten. Dus als iets voor jou niet goed voelt, zul je zelf de eerste stap moeten zetten en met mensen die begrip voor je situatie hebben, aan een oplossing moeten werken.

PRATEN

De eerste stap om pesten te stoppen is praten, en dat is best moeilijk. Je zult iemand moeten zoeken die je vertrouwt en van wie je weet dat hij je kan helpen. Je ouders, een aardige leraar of de vertrouwenspersoon bij jou op school bijvoorbeeld. Er is altijd wel iemand in je directe omgeving die je om raad kunt vragen en het probleem voor kunt leggen. Met andere mensen over je problemen praten lucht niet alleen op, maar is ook het begin van het samen zoeken naar oplossingen. Wees niet bang dat je niet serieus genomen wordt of uitgelachen wordt.

Luistert je docent niet naar je verhaal, of doet hij of zij er niets mee, ga dan naar het hoofd van de school. Wees niet teleurgesteld als het de eerste keer niet mocht lukken om gehoor te krijgen, maar houd vol, samen met je ouders. *Uiteindelijk moet de school of iemand in je omgeving wel naar je luisteren en zal er gegarandeerd een oplossing komen.*

Je kunt het jezelf makkelijker maken door alles op te schrijven, zodat je dat kunt gebruiken als je er eenmaal met iemand over gaat praten. Je kunt dingen kort opschrijven, of alles uitgebreid beschrijven in een dagboek. Het maakt helemaal niet uit hoe je het doet, maar het kan een duidelijk beeld geven van wat je allemaal meemaakt, voor jezelf en voor degene met wie je gaat praten.

Natuurlijk is het het beste om je ouders en de school te vertellen over je problemen en samen een oplossing te zoeken. Maar praten met iemand van een hulpinstantie kan ook – er zijn professioneel getrainde mensen die je verder kunnen helpen. En natuurlijk kun je ook altijd terecht bij je huisarts. Hulpinstanties zijn bijvoorbeeld:

- www.pesten.net, een site voor Nederland en Vlaanderen.
- www.pestweb.nl, telefonisch bereikbaar op het gratis nummer 0800 – 28 28 280.
- www.dekindertelefoon.nl, telefonisch bereikbaar op het gratis nummer 0800 – 0432. Er wordt niet gevraagd wie je bent of waar je woont en je kunt alles met ze bespreken. Ze praten alleen maar met jou, dus niet met je ouders of je docent.
- Het LAKS 020 – 63 81 792 (niet gratis). Het LAKS is een organisatie van, voor en door scholieren.
- In België: de Kinder- en Jongerentelefoon, www.kjt.org, telefonisch gratis bereikbaar op 102.

ALS JOUW GEDRAG VOOR PESTEN WORDT AANGEZIEN

Soms worden mensen met autisme beschuldigd van pesten terwijl ze zich daar helemaal niet van bewust zijn. Dat komt doordat ze in hun gedrag en oordeel soms alleen aan zichzelf denken – en dat gedrag kan opgevat worden als pesten. Mocht jou dit gebeuren, leg dan aan de ander uit dat dit nooit de bedoeling is geweest. Vraag daarbij eventueel hulp van je ouders, mentor of leerlingbegeleider, voordat je zelf het mikpunt wordt van pesterijen.

13
Lief, liever, verliefd

Zoals ik al eerder zei, verander je in de puberteit ook geestelijk. Je groeit langzaam naar volwassenheid en bij de een gaat dat wat sneller dan bij de ander. In de puberteit krijg je ook meer belangstelling voor andere mensen.

Naarmate je ouder wordt, gaat liefde een steeds grotere rol spelen in je leven. Onder liefde verstaan de meeste mensen: van andere mensen houden, bijvoorbeeld van je vriend of vriendin, maar ook van je familie. Kortom: dat je om iemand geeft. Je kunt iemand dan gewoon heel erg aardig vinden. Als je iemand niet alleen heel erg aardig vindt, maar er ook kriebels van in je buik krijgt, ben je verliefd. Vroeg of laat zal het je overkomen. Je probeert dan vaak de aandacht van die ander te trekken. Je wilt graag zo vaak mogelijk bij die ander in de buurt zijn en je vindt alles leuk aan hem of haar. Als je merkt dat die ander jou ook leuk vindt, kun je een relatie – verkering – krijgen. Maar dan? Hoe begin je een relatie en hoe eindig je hem? En hoe ga je om met liefdesverdriet?

Verliefdheid

Op de lagere school ben je misschien ook wel eens verliefd op iemand geweest. Je vond die ander gewoon heel leuk en misschien kreeg je verkering, maar dat was toch anders. Je wilde graag bij elkaar zijn en deed waarschijnlijk veel samen en misschien zoenden jullie ook wel. Wat is er dan nu anders?

Als je nu verliefd wordt, heb je vlinders in je buik en krijg je het warm als je de ander ziet. Daar zorgen de hormonen voor die je lijf tijdens de puberteit gaat maken. Die hormonen zorgen niet alleen voor veranderingen in je lijf, maar ook voor vlinders in je buik, zoals de kriebels worden genoemd die je voelt als je verliefd bent. Daardoor kun je nu nog verliefder zijn dan voor je ging puberen. Je ziet dan ook alleen nog maar de positieve kanten van die ander. Ze zeggen niet voor niets: liefde maakt blind.

Bovendien maak je nu ook nog een hormoon aan dat ervoor zorgt dat je je gelukkiger voelt en dat je hart sneller gaat kloppen – de hormonen vliegen door je lijf. Maar het is natuurlijk ook belangrijk dat je ervoor openstaat om verliefd te worden. De natuur wil dat je je voort gaat planten en zorgt er dus voor dat je verliefd kunt worden. Alleen zijn wij natuurlijk geen oermensen meer die alleen maar verliefd worden om ons voort te planten.

HOE PAK JE HET AAN?

Zelf op een ander afstappen en iemand mee uit vragen of verkering vragen lijkt simpel, maar het kan best lastig zijn. Je weet nooit hoe de ander zal reageren. Stel je voor dat je al een tijdje verliefd bent, en eindelijk je moed bij elkaar hebt geraapt om op hem of haar af te stappen – dan ben je waarschijnlijk ze-

Vlinders in je buik

nuwachtig en misschien krijg je wel een rood hoofd, of je zegt dingen die je helemaal niet zo had willen zeggen. Een redelijke ramp. En dan zegt de ander misschien wel ‘nee’, of erger nog: lacht je uit. Dan krijgt je zelfvertrouwen een behoorlijke deuk. Maar zo hoeft het natuurlijk helemaal niet te gaan – de liefde kan heel goed wederzijds zijn! Of misschien ben je helemaal niet zenuwachtig en krijg je geen rood hoofd, of weet je al dat de ander jou ook leuk vindt. En misschien vindt de ander het niet zo erg dat je een beetje rood wordt, maar vindt hij of zij het juist wel lief!

Mocht je onzeker zijn over wat de ander vindt, dan kun je er een vriend of vriendin opuitsturen om voorzichtig te polsen wat zijn of haar gevoelens zijn. Dat is wat veiliger. Als dan blijkt dat de ander niet in jou geïnteresseerd is, voel je je minder voor gek staan. Als hij of zij wel geïnteresseerd is, moet je natuurlijk wel zelf stappen ondernemen en hem of haar mee uit vragen, maar dan is het een stuk makkelijker.

Je hoeft natuurlijk niet direct op iemand af te stappen, je kunt het ook zelf vragen via MSN of met een sms'je – het is wat afstandelijker maar het kan. *Maak het alleen nooit op die manier uit*, dat is echt heel erg lomp en kwetsend.

ONZEKERHEID

Verliefd zijn hoort natuurlijk gewoon bij het leven, maar je kunt je er toch erg onzeker door gaan voelen. Vindt die ander jou wel leuk? Zie je er wel leuk uit? Er zijn maar weinig mensen echt tevreden met zichzelf. De een vindt dat hij een lelijke neus heeft, de ander heeft te dikke benen, grote oren, dunne armen, kleine borsten en ga zo maar verder. De meeste pubers zouden graag op een popster, fotomodel of filmster lijken. Probeer eerlijk naar jezelf te blijven kijken. Je bent puber en nog niet helemaal 'af', maar er zijn absoluut dingen die mooi aan je zijn, of dingen die je goed kunt. Er zijn pubers die uit onzekerheid hun uiterlijk gaan veranderen; zij verven hun haar of nemen een piercing. Het is natuurlijk best leuk om wat aan je uiterlijk te veranderen, maar doe het nooit omdat je denkt dat je anders niet leuk genoeg bent. Je kunt niet iemand anders worden dan je bent.

Valkuilen als je verliefd bent en autisme hebt

Eerlijk is eerlijk, als je autisme hebt, is een relatie aangaan met iemand een stuk lastiger. 'Houden van' is niet het probleem, dat zit wel goed, maar het met elkaar omgaan en elkaar begrijpen is vaak moeilijk. Dat komt doordat je de wereld allebei op een andere manier ziet en daar ook verschillend op kunt reageren. Het is vaak moeilijk om te voelen wat de ander nou precies wil. En ook om te laten merken aan de ander wat jij wilt. Voor dat laatste is een heel goede oplossing, die al vaker genoemd is in deze *Pubergids*: *zeg het gewoon!* Want ook al kunnen mensen zonder autisme veel aan gezichtsuitdrukkingen aflezen, je gedachten kunnen ze niet lezen! Dus als je wilt dat iemand weet wat je denkt, zul je het moeten zeggen.

Een paar voorbeelden aan de hand van waargebeurde verhalen:

- *Patricks interesse in meisjes is heel onpersoonlijk, hij kan op alle meisjes met blond haar en lange benen 'verliefd' worden. Hij spreekt een meisje dan aan en vraagt verkering. Eigenlijk speelt het meisje als persoon geen rol.*
  Je snapt wel dat dit niet de bedoeling is. Verliefd zijn op iemand betekent dat je alles aan die persoon leuk vindt.

- *Sandra kijkt vaak naar* Sex and the City, *MTV en* Friends *en was ervan overtuigd dat het er in het echte leven ook zo aan toe gaat. Sandra is een heel mooi meisje en jongens wilden wel verkering met haar, maar het moest van haar precies zo gaan als op tv en dat werkt natuurlijk niet zo.*
  Dit soort programma's staan, net als porno, heel ver buiten de werkelijkheid. Als je wilt weten hoe het in het echte leven gaat, praat er dan eens over met je broer of zus, met klasgenoten die je vertrouwt of kijk naar films die zijn gebaseerd op de werkelijkheid. Je zou eens aan je ouders, broer of zus kunnen vragen welke films zij goed vinden.

- *Samira: 'Mijn vriendje is autistisch en heel lief, maar als ik bij hem thuis kwam, vroeg hij meteen wanneer ik weer ging. Dat vond ik heel raar. Ik dacht dat hij liever wilde dat ik meteen weer wegging, maar ik heb hem gevraagd waarom hij dat doet en nu snap ik het, hij wil niet dat ik wegga maar hij wil duidelijkheid.'* Samira's vriendje wil alleen maar weten waar hij aan toe is, omdat hij erg gehecht is aan voorspelbaarheid en duidelijkheid. Het geeft hem rust. Het is goed dat zijn vriendin hem dat heeft gevraagd. Een volgende stap voor hem zou kunnen zijn om zoiets uit zichzelf te gaan vertellen, zonder dat iemand erom vraagt.

Natuurlijk zal het moeilijk blijven om aan te voelen wat de ander wil en hoe je daaraan tegemoet kunt komen. Maak de ander in elk geval duidelijk dat mensen met autisme niet egoïstisch zijn, maar alleen erg vanuit zichzelf denken, puur omdat zij dat nodig hebben om overeind te blijven. De meeste mensen zullen snappen dat jouw autisme geen los gegeven is, wat je zou kunnen waarnemen en bestuderen en waarvan je dan ook nog eens de uitwerking op je relatie zou kunnen zien. Zo werkt het natuurlijk niet.

Als je merkt dat je je vriend of vriendin op de zenuwen werkt of als je er in een sociaal contact 'net' naast zit, zeg dan gewoon dat je even niet weet hoe je ermee om moet gaan. Dat klinkt misschien makkelijker dan het is, maar het is toch erg belangrijk – het helpt jou immers ook als mensen direct tegen jou zijn. Als je het vaker doet, zul je merken dat het makkelijker wordt en dat je meer begrip krijgt. Erover praten werkt ontwapenend en zorgt voor een ontspannen sfeer.

Je kunt ook voor ontspanning zorgen met humor – iets wat mensen met autisme zeker hebben. Typische autismehumor is het spelen met verschillende betekenissen van woorden en het bedenken van metaforen. Of onbedoelde humor, omdat je er vanzelf wat uitfloept; probeer het allemaal te gebruiken, alles wat op de lachspieren kan werken, kan in lastige situaties voor ontspanning zorgen.

Maar... ga je autisme nooit gebruiken als excuus, of als verklaring voor ontoelaatbaar gedrag! Je bent niet 'die autist', je autisme is een bepaalde manier van in de wereld staan. Als je je autisme gaat aannemen als identiteit doe je jezelf en je omgeving echt tekort.

Homo, lesbisch of bi

De meeste mensen zijn hetero en willen een relatie met iemand van het andere geslacht. In de puberteit komen sommige jongeren erachter dat ze verliefd kunnen worden op iemand van hetzelfde geslacht. Dat betekent niet dat ze daar ook meteen iets mee doen. Veel pubers, homo of hetero, zijn verliefd op afstand, soms op iemand die ouder is of op een popster of filmster. Andere pubers experimenteren juist in deze periode met seks: ook jongens met jongens en meisjes met meisjes. Dat kan bij een experiment blijven. Maar sommige jongeren ontdekken door zulke experimenten hun homoseksuele gevoelen. Anderen komen er pas veel later in hun leven achter. Er zijn ook pubers die hun homoseksuele gevoelens liever verborgen houden, zolang ze op de middelbare school zitten. Want, zo is te lezen op www.allesovergay.nl, het is niet makkelijk om er op school voor uit te komen.

Volgens deze site voelen homoseksuele en lesbische scholieren zich veel onveiliger op school dan de gemiddelde scholier: op school is de onderlinge sociale controle groot en als je maar een beetje afwijkt, loop je het risico om gepest te worden. Dus als je autisme hebt en je hebt homoseksuele gevoelens, dan laat je het misschien wel helemaal uit je hoofd om voor je gevoelens uit te komen. De meeste jongeren wachten totdat ze van school af zijn, voordat ze er iets mee doen. Er zijn verenigingen en clubs waar je elkaar kunt ontmoeten zonder vooroordelen. Bij het COC (www.coc.nl) bijvoorbeeld worden ook activiteiten voor jongeren georganiseerd, zoals thema-avonden, of caféavonden en feesten. Hier kunnen jongeren in contact komen met andere lesbische, homo- en biseksuele leeftijdsgenoten. In België kun je terecht bij de Holebifederatie (www.holebifederatie.be).

Homokus

Sommige homojongeren vertellen wel aan een goede vriend of vriendin dat zij homoseksueel zijn. Reacties van vrienden kunnen heel erg uiteenlopen; soms zijn ze bang dat hun vriend of vriendin verliefd op hen wordt. Of ze zijn bang dat ze zelf gepest worden als ze bevriend zijn met homo's of lesbo's. Maar sommige vrienden en vriendinnen maakt het niets uit; voor hen blijft een vriend een vriend. Als je het wilt vertellen, bepaal dan zorgvuldig aan wie je het vertelt. De meeste scholen hebben ook een vertrouwenspersoon of counselor bij wie je je hart kunt luchten over persoonlijke zaken. Een vertrouwenspersoon kan meedenken over oplossingen voor eventuele problemen. Vertrouwelijke informatie houdt hij of zij altijd geheim.

Helemaal verwarrend kan het worden als je op vrouwen én mannen valt. Dat heet biseksueel. Biseksualiteit heeft net als homoseksualiteit te maken met gevoelens, gedrag en identiteit. Veel mensen hebben biseksuele gevoelens en fantasieën. Sommigen hebben afwisselend seks en relaties met mannen en met vrouwen, sommigen tegelijkertijd.

De leeftijd waarop mensen ontdekken dat ze bi- of homoseksuele gevoelens hebben, is voor iedereen anders. Sommige jongens en meisjes voelen zich al heel jong 'anders' dan andere kinderen of weten het gewoon al op jonge leeftijd. De een is er op z'n vijftiende uit, de ander na z'n dertigste. Een vaste leeftijd waarop iemand weet of hij of zij homo, biseksueel of hetero is, bestaat dus niet.

En... *don't worry*, het is namelijk heel normaal, homo- en biseksualiteit hebben altijd bestaan. Homoseksualiteit is aanwezig in alle culturen, in alle periodes van de geschiedenis en in alle sociale klassen. Het is geen ziekte en het kan niet worden afgeleerd.

Seks

Als je verkering hebt, zoen, knuffel en streel je elkaar. Als je elkaar langer kent, wil je verder gaan dan alleen knuffelen, je wilt seks. Seks is iets heel bijzonders en kan heel fijn zijn. Je doet het als je eraan toe bent, en als je een vriend of vriendin hebt van wie je heel veel houdt. Je moet het allebei echt willen. Doe het niet om je vriend of vriendin een plezier te doen, dan ben je fout bezig. Als je niet wilt, zeg het dan, want je krijgt er spijt van als je het toch doet. Sommige mensen willen pas met elkaar vrijen als ze met elkaar getrouwd zijn.

ALS JE NIET WILT, ZEG DAN 'NEE!'

Overleg altijd met elkaar over wat je wilt en wanneer en houd niet vast aan bepaalde rituelen, zoals kaarsjes of een bepaald soort muziek die tijdens het vrijen op moet staan. Zeg wat je zelf graag wilt en vraag aan de ander wat die graag wil. Als je het bijvoorbeeld fijn vindt om stevig geknuffeld te worden, kun je dat gewoon zeggen. Blijf respect voor elkaar hebben. Als je de wensen van de ander niet accepteert, dan moet je dat expliciet zeggen. Doe niets tegen je eigen zin, maar ook niet tegen de zin van je partner!

Liefde is het mooiste wat er is,
maar er loeren ook gevaren.

VOORBEHOEDSMIDDELEN

Als je seks met iemand hebt, wil je natuurlijk geen geslachtsziekte krijgen. Daarom moet je het veilig doen! Daar zijn voorbehoedsmiddelen voor, maar die moet je dan ook echt gebruiken. Het is ook belangrijk om te zorgen dat jij of je vriendin niet zwanger wordt. De pil is het betrouwbaarste voorbehoedsmiddel om zwangerschap te voorkomen. Condooms gebruik je om te zorgen dat je geen geslachtsziekte krijgt, maar ze beschermen ook tegen zwangerschap.

Tip!
Gebruik in ieder geval *altijd* een condoom!

Wanneer en hoe begin je over condooms? 'Goh, wat dacht je van een condoom?' is niet de meest opwindende uitspraak als je voor het eerst met iemand vrijt. Een aantal tips die je van pas kunnen komen:

- Bedenk vooraf hoe en wanneer je over veilig vrijen wilt beginnen. Als je dat al weet voordat je gaat vrijen, sta je steviger in je schoenen.
- Zeg eerlijk dat je geen vervelende ziektes wilt krijgen. Dat is geen kwestie van 'niet vertrouwen', het is alleen eerlijk en duidelijk. Bovendien toon je daarmee respect voor jezelf en je partner.
- 'Ik doe het met...!' is een duidelijke mededeling zonder enge ziektes te noemen. Je partner begrijpt waar je het over hebt.
- Pak gewoon een condoom en doe het bij jezelf of bij je partner om.
- Zorg dat je zelf condooms bij je hebt, ook al verwacht je niet met iemand te vrijen. Het maakt niet uit of je een jongen of een meisje bent.
- Condooms zijn overal te koop. Bij de drogist, apotheek of supermarkt. Je kunt ze ook uit een automaat halen, bijvoorbeeld in een café of bij een benzinestation.

Als de liefde over is

Het is heerlijk om verliefd te zijn, maar het gevoel dat je dan voor iemand hebt, kan ook over gaan – jouw gevoel voor de ander of het gevoel van de ander voor jou. Als de ander niet meer verliefd is, krijg je te horen dat het uit is en dat kan heel moeilijk zijn, zeker als jij nog wel verliefd bent. Vaak is het moeilijk om de reden te snappen, of klopt de reden volgens jou niet. Bedenk dan dat wat de reden ook is, de ander stopt omdat hij of zij niet meer verliefd op je is. Dat is niet jouw schuld of de schuld van de ander, maar blijkbaar passen jullie toch niet zo goed bij elkaar als jij dacht.

Het kan ook dat je het idee hebt dat de ander het uitmaakt vanwege je autisme. Dat is natuurlijk helemaal vervelend, want daar kun je niets aan doen. Als iemand jou alleen beoordeelt op je autisme, doet hij of zij je tekort: iemand moet je leuk vinden om wie je bent en je autisme hoort bij jou, maar wat er wezenlijk toe doet, is wie jij in totaal bent. Als iemand dat niet wil of kan zien, verdient die jou ook niet.

Je kunt behoorlijk verdrietig zijn als het net uit is en je kunt degene waarop je verliefd bent erg missen, dat is heel normaal. Maar het is fout om degene waarop je verliefd bent of jullie tijd samen te idealiseren – als het echt zo ideaal was, dan was het nu niet uit. Probeer dus reëel te blijven, dan heb je eerder vrede met het feit dat het uit is. Probeer om afleiding te zoeken door bijvoorbeeld te sporten. Er zijn niet veel mensen die altijd met hun eerste vriendje of vriendinnetje samen blijven; door verliefdheden en verkeringen in je puberteit kun je er achter komen wat voor soort persoon er bij je past.

Het kan natuurlijk ook gebeuren dat jij het uitmaakt. Als jij het niet meer ziet zitten omdat het gevoel van verliefdheid is verdwenen, zul jij de stap moeten zetten om het uit te maken. Dat kan behoorlijk moeilijk zijn. Het is belangrijk dat je eerst voor jezelf duidelijk krijgt waarom je het uit wilt maken, zodat je dat aan de ander kunt vertellen zonder hem of haar te kwetsen.

Houd er rekening mee dat de ander misschien niet verwacht dat je het uitmaakt en er erg verdrietig om is. Ga met respect met de ander om. Maak het dus niet uit via een sms'je, MSN, briefje of een telefoontje, dat is laf en kwetsend – zeg het terwijl je de ander aan kunt kijken. En houd er rekening mee dat jij je ook een tijdje rot voelt en moet wennen aan de nieuwe situatie.

14
Gevaren

Seks

Helaas heeft seks niet altijd met liefde te maken en het kan gebeuren dat je er door in de problemen komt. Als je seksueel misbruikt wordt, kom je er op een heel onaangename manier mee in aanraking. Seks is voor de meeste mensen een privé-aangelegenheid, iets wat je kan ontgaan als je autisme hebt. Er zijn dus een aantal valkuilen op het gebied van seks.

SEKSUEEL MISBRUIK

Seksueel misbruik – verkrachting of aanranding – is seks tegen je zin. Iemand dwingt je dan om seks te hebben terwijl jij dat niet wilt. Je kunt seksueel misbruikt worden door iemand die je niet kent maar ook door een bekende: een 'vriend', de buurvrouw, een familielid, een docent, enzovoort. Als je door een familielid verkracht of aangerand wordt, heet het incest. Seksueel misbruik kan eenmalig zijn, maar het kan ook vaker voorkomen en langdurig zijn. *Seks tegen je zin mag nooit, op geen enkele manier! Het is nooit jouw fout, degene die dit met je doet, zit fout en is niet te vertrouwen. Geloof dus niet wat hij of zij zegt.*

Als jij tegen je zin seks met iemand hebt, houd het dan niet voor jezelf, ook al zegt degene die je tot seks dwingt dat het jullie geheim is, dat toch niemand je zal geloven, dat je het hebt uitgelokt of dat er iets ergs met hem of haar, je familie of met jou gaat gebeuren als je het aan iemand vertelt. Ook als jij iemand bent die graag anderen aanraakt, mag die ander daar geen misbruik van maken door seks met je te hebben. Ga in dit soort situaties *altijd* met iemand praten die je vertrouwt: je ouders, een vertrouwenspersoon op school of een docent, het maakt niet uit met wie. Als je dat niet durft, kan of wil, bel dan met de kindertelefoon (0800 – 0432, www.kindertelefoon.nl, in België: 102, www.kjt.org).

Harm is jarenlang seksueel misbruikt door zijn beste vriend. Hij wilde geen seks met hem, maar kon zich niet weren. Het misbruik heeft jaren geduurd, omdat Harm had geleerd dat je een 'vriend' nooit in de steek mag laten.

Het voorbeeld van Harm, helaas echt gebeurd, laat zien dat je in dit soort situaties *altijd* hulp moet zoeken en met iemand moet gaan praten die je vertrouwt. *Seks tegen je zin is altijd verkeerd en is nooit jouw fout.* Het is degene die je dit aandoet en dit met je uitspookt die fout zit!

FATSOEN

Je bent er nu waarschijnlijk wel achter, seks is een gevoelig onderwerp. Je moet zelf natuurlijk ook goed rekening houden met de wensen, normen en waarden van anderen – iets wat ingewikkeld kan zijn. Verkering krijgen gaat over verliefdheid en liefde en niet alleen over seks hebben met iemand omdat jij dat wilt, om wat voor reden dan ook. Daarmee kun je mensen afschrikken, zoals het verhaal over Willem laat zien.

Willem wil ontzettend graag een relatie, maar vindt het moeilijk om contact te leggen met meisjes. Als hij achttien jaar is geworden, vindt hij dat hij nu volwassen is en 'dus' met een meisje naar bed moet. Hij gaat dwangmatig op zoek naar een meisje om seks mee hebben maar hiermee bereikt hij het tegenovergestelde: hij maakt een dreigende indruk en meisjes worden erg bang van hem.

Niet alleen seks met anderen is ingewikkeld, zelfs seks met jezelf – masturbatie, soloseks – kan je in de problemen brengen. Tijdens de puberteit ontstaan seksuele behoeften en daarmee groeit ook je verlangen naar bevrediging. Niets raars aan, maar je moet natuurlijk niet open en bloot gaan masturberen in openbare ruimtes. *Masturberen is echt een privé-aangelegenheid, je doet het in je eentje op een plek waar niemand je kan zien of horen.* Sluit thuis ook je deur en doe je gordijnen dicht als je masturbeert. En doe nooit wat Joran deed!

Joran werd bij de gymles altijd uitgelachen en gepest, en om zichzelf te troosten ging hij na de gymles in de douche bij de kleedkamers masturberen. De gymleraar kwam binnen en vond het maar niks dat Joran zich openlijk aftrok. Joran kwam daardoor behoorlijk in de problemen.

Het is heel normaal dat je als puber vaak aan seks denkt, maar je moet ook rekening houden met de waarden en normen van een ander. Als je erover wilt praten, zul je je eerst moeten afvragen of het wel gepast is in de omgeving, of in het gezelschap waar je in bent. En net als bij masturberen geldt hier dat sommige gedachten privé zijn en niet met iedereen gedeeld hoeven te worden. Rachid had daar wat moeite mee:

Rachid is erg met seks bezig en praat er te pas en te onpas over. Als er bezoek is, begint hij erover aan tafel en in de bus praat hij er hard over tegen een klasgenoot. Het bezoek en de mensen in de bus zijn hier niet van gediend.

Loverboys

Een gevaar dat vooral meisjes betreft, zijn *loverboys*. Een loverboy is een jongen die met slechte bedoelingen een meisje versiert. Hij is eerst heel lief voor haar, schenkt haar veel aandacht en koopt mooie en dure cadeaus voor haar. Hij doet samen met haar veel leuke en dure dingen, zoals uit eten gaan. Maar als ze een tijdje verkering hebben, wil hij dat zij met mannen naar bed gaat voor geld. Hij zegt bijvoorbeeld dat hij schulden heeft gemaakt om alle dure cadeautjes voor haar te kunnen betalen en die moet zij op die manier aflossen. Het geld dat ze zo verdient, moet ze aan hem geven. Hij gebruikt vaak geweld en zorgt ervoor dat ze helemaal afhankelijk van hem wordt en zich afsluit voor haar familie en vrienden.

Loverboys gebruiken bepaalde tactieken waar je waakzaam op kunt zijn:

- De loverboy gaat op zoek naar meisjes. Hij parkeert zijn dure auto of scooter voor middelbare scholen, of maakt een praatje in een koffieshop, kroeg of discotheek. Of hij wacht meisjes op bij opvanghuizen.
- Krijgt hij eenmaal de aandacht van een meisje, dan verwent hij haar met cadeaus en lieve woorden, waardoor het meisje verliefd wordt.
- De loverboy doet of hij ook verliefd op haar is en gaat met het meisje naar bed.

- Om het meisje afhankelijk te maken, zorgt de loverboy ervoor dat zij zich afsluit voor familie en vrienden.
- Door het meisje aan te zetten tot seks met bijvoorbeeld zijn vrienden verlaagt hij de drempel naar prostitutie.
- Is het meisje volledig afhankelijk, dan verandert zijn houding. Met het excuus van geldgebrek of een openstaande schuld, zet hij het meisje onder druk om tegen betaling met iemand naar bed te gaan. Een argument daarbij is dat het nu tijd is om de cadeaus terug te betalen.
- Veelal zetten deze jongens meisjes ook aan tot drugs- of alcoholgebruik.
- Als het meisje eenmaal in de prostitutie werkt, wordt ze scherp in de gaten gehouden, en bedreigd en gemanipuleerd.

Een aantal vragen die je kunnen helpen om te ontdekken of iemand een loverboy is:
- Heeft hij dure spullen en dure kleren?
- Heeft hij een dure auto of scooter?
- Weet je niet hoe hij aan zoveel geld komt?
- Handelt hij in drugs of wapens?
- Gaan er verhalen over hem rond dat hij zich met dit soort zaken bezighield?
- Geeft hij je regelmatig dure cadeaus?
- Heeft hij jou een mobieltje gegeven?
- Neemt hij je vaak mee naar dure tenten?
- Neemt hij je wel eens mee naar de rosse buurt, en heeft hij daar bekenden?
- Zijn zijn vrienden net zoals hij?
- Praat hij negatief over mensen die tot nu toe belangrijk voor je waren?
- Wat doet hij eigenlijk voor werk?

Als je twijfelt, praat er dan over met iemand die je kunt vertrouwen en van wie je hulp kunt verwachten: je ouders, begeleiders, een docent of je mentor.

Drugs

Over drugs valt natuurlijk heel veel te vertellen, maar als we het over drugs hebben, is er eigenlijk maar één woord belangrijk: *afblijven!*

Drugs zijn stoffen die de hersenen op een bepaalde manier prikkelen. Die hersenprikkels veroorzaken verschillende geestelijke en lichamelijke effecten. Deze effecten kunnen stimulerend zijn, of juist verdovend, of voor hallucinaties zorgen. Ik vat hier informatie samen die gegeven wordt op www.jip.org, mocht je meer willen weten, surf daar dan eens heen.

WIE GEBRUIKEN DRUGS EN WAAROM?

Veel mensen komen voor het eerst in contact met drugs als ze jong zijn. Ze gaan met mensen om die drugs gebruiken en willen erbij horen of stoer zijn, of ze zijn nieuwsgierig. Anderen beginnen ermee omdat ze zich vervelen en spanning zoeken. De kans is dus groot dat je geconfronteerd wordt met drugs door iemand die je goed kent. Misschien ken je iemand die gebruikt in je familie, of iemand in je vriendenkring. Dit hoeft *geen* reden te zijn om mee te doen.

Op of bij scholen bieden jongeren, die soms niet eens bij je op school zitten, wel eens drugs aan. Eerst zelfs gratis – ze hopen dan dat je verslaafd raakt, zodat ze daarna veel geld aan je kunnen verdienen doordat je drugs bij hen koopt. Trap er niet in!

Drugsgebruik is in eerste instantie altijd je eigen keuze. *Jij* bent degene die 'ja' of 'nee' kan zeggen als het je wordt aangeboden. Wie drugs gebruikt, kiest daar dus zelf voor. Geen enkele drug leidt bij eenmalig gebruik tot verslaving. Heb je de eerste keer drugs genomen zonder dat je daar zelf achter stond, dan kun je je voornemen een volgende keer 'nee' te zeggen. Helemaal tegen je zin verslaafd raken aan drugs is echt uitgesloten!

In veel gevallen weet iemand die voor het eerst drugs gaat gebruiken niet waarvoor hij kiest, omdat hij de eigenschappen en risico's van het middel niet echt kent. Of iemand daarna doorgaat met gebruiken, ligt aan de persoon, maar ook aan zijn omgeving. Als je in een 'vriendenkring' zit die wil dat je meedoet, stap er dan uit. Je kunt beter andere vrienden zoeken. Natuurlijk is dat niet gemakkelijk, maar het is altijd makkelijker dan afkicken als je verslaafd bent.

Je raakt niet van de ene op de andere dag verslaafd. Het gebeurt bijna ongemerkt en het ligt ook aan het spul dat je gebruikt, aan jezelf en de situatie waarin je verkeert. *Heb je het gevoel dat je al te ver bent gegaan, vraag dan hulp!* Praat erover met volwassenen die je vertrouwt en van wie je hulp kunt verwachten: je ouders, een vertrouwenspersoon op school of je mentor. Je kunt ook aankloppen bij een instelling voor verslavingszorg (www.stichtingcad.nl – Consultatiebureau voor Alcohol en Drugs, in België www.vad.be – Vereniging voor Alcohol en andere Drugsproblemen). Ook bij de GGD kun je meer informatie krijgen: www.ggd.nl en je kunt bellen naar de drugs informatielijn: 0900 – 1995, in België 078 – 151 020.

Als je je rot voelt en de werkelijkheid wilt ontvluchten, is het zeker geen oplossing om afhankelijk te worden van een drug. Je raakt daardoor namelijk alleen maar verder in de put.

Alcohol

Uit een onderzoek van de GGD van Zuid-Holland blijkt dat 90% van de brugklassers al eens alcohol heeft gedronken. Zelfs van de basisschoolleerlingen heeft de helft al alcohol gedronken. De helft van de veertienjarigen gaf aan al eens dronken te zijn geweest.

Wist je dat de hersenen van jongeren beschadigd raken door alcohol, omdat ze pas na de puberteit zijn uitontwikkeld? En dat ook lever, maag, hart en bloedvaten een flinke beschadiging kunnen oplopen? Dat moet je toch aan het denken zetten!

Alcohol verdooft de hersenen. Dit heeft allerlei effecten op je stemming en gedrag. Zo vallen remmingen weg, verminderen je geheugen en concentratie en verdwijnt je zelfkritiek. Hoe meer je drinkt, hoe sterker de effecten. Om nog maar te zwijgen van de kater de volgende dag en het geheugenverlies.

Het is dus niet voor niets dat je onder de zestien jaar geen alcohol mag kopen en dat de horeca pas vanaf zestien jaar zwak alcoholische dranken en vanaf achttien jaar sterkere alcohol mag schenken. Als we ervan uitgaan dat je ouders en de overheid hun best doen om op jouw gezondheid en die van andere jongeren te letten, is het wel zo handig als je dat zelf ook doet.

Alcohol

Je bent gewaarschuwd, pas op met alcohol!

Te dik of te dun

Gezond eten en goed bewegen is natuurlijk heel belangrijk, zeker in de puberteit. Maar sommige meisjes, en soms ook jongens, gaan uit onzekerheid lijnen, omdat ze denken dat ze te dik zijn. Helaas gaan sommige pubers daar te ver in en dan kan het behoorlijk misgaan. Als je twijfelt over je gewicht, kun je met het volgende sommetje eens uitrekenen of je te zwaar bent of te licht. Het ziet er misschien ingewikkeld uit, maar het is niet moeilijk.

BMI (Body Mass Index): deel je gewicht door het kwadraat van je lengte.
Gewicht : (lengte x lengte) = BMI

Bijvoorbeeld: je weegt 54 kilo en je lengte is 1,64 meter.
54 : (1,64 X 1,64) = BMI
54 : 2,6896 = 20,07
BMI = 20

In tabel 14.1 kun je zien of je te licht of te zwaar bent als je een jongen bent, in tabel 14.2 als je een meisje bent.

Tabel 14.1: Gezond gewicht voor jongens aan de hand van BMI (Bron: www.voedingscentrum.nl)

Leeftijd	Te dun	Normaal gewicht	Te zwaar	Veel te zwaar
12	minder dan 14,4	14,4-21,22	21,22-26,02	meer dan 26,02
13	minder dan 14,8	14,8-21,91	21,91-26,84	meer dan 26,84
14	minder dan 15,3	15,3-22,62	22,62-27,63	meer dan 27,63
15	minder dan 15,8	15,8-23,29	23,29-28,30	meer dan 28,30
16	minder dan 16,3	16,3-23,90	23,90-28,88	meer dan 28,88
17	minder dan 16,8	16,8-24,46	24,46-29,41	meer dan 29,41
18	minder dan 17,1	17,1-25,00	25,00-30,00	meer dan 30,00

Tabel 14.2: Gezond gewicht voor meisjes aan de hand van BMI (Bron: www.voedingscentrum.nl)

Leeftijd	Te dun	Normaal gewicht	Te zwaar	Veel te zwaar
12	minder dan 14,4	14,4-21,68	21,68-26,67	meer dan 26,67
13	minder dan 15,0	15,0-22,58	22,58-27,76	meer dan 27,76
14	minder dan 15,6	15,6-23,34	23,34-28,57	meer dan 28,57
15	minder dan 16,1	16,1-23,94	23,94-29,11	meer dan 29,11
16	minder dan 16,6	16,6-24,37	24,37-29,43	meer dan 29,43
17	minder dan 17,0	17,0-24,70	24,70-29,69	meer dan 29,69
18	minder dan 17,4	17,4-25,00	25,00-30,00	meer dan 30,00

Neem contact op met je huisarts als je te licht bent. En als je te zwaar bent voor je lengte of je leeftijd, ga dan niet zomaar op dieet. Afvallen is een serieuze zaak en het kan problemen geven als je het niet goed doet. Ga daarom met je ouders naar een huisarts, diëtist of schoolarts als je af wilt vallen. Meer informatie over gezonde voeding staat op de websites www.voedingscentrum.nl en www.gezondheid.be

Nog een valkuil: internet

Internet is net een hele grote speeltuin. Er zijn superveel leuke dingen te doen op het web: chatten, naar muziek luisteren, spelletjes spelen en vriendschappen sluiten met mensen uit de hele wereld. Met elkaar kletsen via internet is ideaal. Je kunt langer nadenken over wat iemand vertelt en de tijd nemen om antwoord te geven. Bovendien heb je geen last van verwarrende lichaamstaal. Maar... mensen kunnen zich op internet makkelijk anders voordoen dan ze zijn. Daarom geeft Microsoft de volgende tips en adviezen voor internetgebruik (www.msn.be).

Online zijn er drie soorten mensen die je het beste kunt vermijden:

1. *De willekeurige klier.* Dit kan een man of vrouw zijn. Hij of zij bezoekt chatrooms om onbeschofte of seksuele opmerkingen te maken. Zo iemand kliert om andere mensen een rotgevoel te geven. Het zijn meestal verveelde, fantasieloze en niet voor rede vatbare mensen, dus je kunt ze maar het beste negeren en blokkeren. Als ze vervelend blijven doen, zeg het dan tegen je ouders. Zij kunnen zo iemand rapporteren bij je provider, maar misschien kun je dat zelf ook – misschien zelfs wel beter!

2. *De viezerik.* Dit is de persoon die je ouders het meest vrezen en waar jij ook goed voor op moet passen. Hij of zij wil alles over je te weten komen en doet alsof hij vrienden met je wil worden. De viezerik bewaart alle informatie die je over jezelf geeft. Hij wil je telefoonnummer, adres en foto en boven alles wil hij een afspraak met je maken, vaak met de bedoeling om met je naar bed te gaan. Het is heel goed mogelijk dat hij (of zij) door de politie wordt gezocht, dus licht meteen je ouders in, of iemand anders die je vertrouwt.

3. *Een bekende.* Soms heb je op MSN iemand toegevoegd die je 'kent' via een vriend of vriendin, en daarom denk je dat je hem of haar kunt vertrouwen. Jullie chatten met elkaar op

MSN. Eerst doet die persoon heel aardig en dan gaat hij opeens heel naar tegen je doen. Hij zegt bijvoorbeeld dat hij jou of je familie iets aandoet als je geen seksuele handelingen doet voor de webcam en hij bedreigt je steeds vaker. Haal er meteen je ouders bij en doe aangifte – dit soort gedrag is strafbaar. Je kunt het beste van zo iemand afkomen door te vertellen dat je de MSN-gesprekken op je computer opslaat en dat je hem aan zult geven bij de politie.

Er zijn ook mensen die er alles aan doen om achter je persoonlijke gegevens te komen. Ook dat kan gevaarlijk zijn. Houd je persoonlijke gegevens dus voor jezelf!

- Gebruik je eigen naam niet online. Wees creatief en verzin een bijnaam. Je ouders kunnen je hierbij helpen.
- Geef nooit informatie over je familie of over jezelf. Vertel niemand je echte naam, telefoonnummer, adres, waar je naar school gaat of sport en houd wachtwoorden, rekeningnummers en je pincode voor jezelf.
- Laat foto's van jezelf of je familieleden nooit aan vreemden zien.
- Als je een weblog bijhoudt, doe dit dan anoniem en koppel het niet aan persoonlijke gegevens ergens anders op internet.

Als je bestanden, links of e-mailbijlagen van vreemden opent, loop je de kans een virus te openen, gevaarlijke software te installeren, tegen een nare afbeelding op te lopen of iets anders wat je dag flink kan verpesten. Zelfs als het bestand, de link of de bijlage afkomstig is van iemand die je kent, kun je deze persoon beter eerst vragen wat het is. Open dus nooit bijlagen van vreemden en pas op voor doorstuurmails.

Vertel het altijd aan iemand die je vertrouwt – je vader, moeder, een docent of andere volwassene – als je bang bent of je bedreigd voelt door iets wat je online hebt gezien of meegemaakt. Reageer nooit op iemand die je online een ongemakkelijk gevoel geeft of van streek maakt. Als je je bedreigd voelt, moet je contact opnemen met de politie. Vergeet ook niet dat je je computer altijd uit kunt schakelen als je je ergens niet prettig bij voelt.

Waarschuwing!
Het is gevaarlijk om mensen die je alleen van internet kent, in je eentje te ontmoeten!

Mensen die je nog nooit in het echt hebt ontmoet, zijn vreemden. Ze kunnen geweldig, saai of grappig zijn, maar ook agressief, gemeen of gevaarlijk. Het is niet zo'n goed idee om mensen te ontmoeten die je online hebt leren kennen. Mensen die je online leert kennen, kunnen heel anders zijn dan je denkt, of zich anders voordoen dan ze echt zijn – iemand die je in een chatroom leert kennen, kan heel goed geen jongere zijn, maar een volwassene. Als je een online vriend toch in levenden lijve wilt ontmoeten, moet je je aan de volgende regels houden:

- Een van je ouders of een ander volwassen familielid moet met je meegaan en de hele tijd bij je blijven.
- Spreek af op een plek waar veel mensen zijn en blijf daar. Ga nergens heen met deze onbekende.
- Laat je door de vreemdeling niet overhalen om iets te doen waarbij je je ook maar een beetje ongemakkelijk voelt.

Bescherm jezelf online en gebruik de volgende vijf tips om het leuk te houden.

Tips!

1. **Houd al je persoonlijke gegevens voor jezelf.**
2. **Onthoud dat mensen zich als iemand anders voor kunnen doen.**
3. **Open geen bijlagen van vreemden.**
4. **Waarschuw een volwassene die je vertrouwt, als iets je een ongemakkelijk gevoel geeft.**
5. **Het is gevaarlijk om mensen die je alleen van internet kent, in je eentje te ontmoeten.**

15
Vrije tijd en hobby's

Als puber breng je heel veel tijd op school door en als je thuiskomt heb je ook nog huiswerk. Maar je hebt uiteraard ook vrije tijd – tijd voor jezelf om te ontspannen en eens lekker te doen waar je zin in hebt. Maar hoe vul je die in?

Op school moet je je aan een strakke tijdsplanning houden. Voor het maken van je huiswerk heb je ook een planning, maar je vrije tijd plan je niet. En het kan voor sommigen best lastig zijn om daarmee om te gaan. Vooral als vrije tijd langer duurt, bijvoorbeeld een hele avond, een middag, een weekend of zelfs een hele vakantie. Het Landelijk Netwerk Autisme geeft daarom de volgende tips.

Wat is vrije tijd?

Eerst moet je je realiseren dat je in je vrije tijd ook verplichtingen hebt: je moet douchen, tanden poetsen, tafeldekken en je kamer opruimen. Er zijn ook momenten waarop het heerlijk is om eens een tijdje helemaal niets te doen. Lekker in je eentje lezen, schilderen, televisie kijken, computeren, fietsen, enzovoort – dingen die jij prettig vindt. Op andere vrijetijdsmomenten zul je dingen samen doen: eten, samen met iemand je hobby uitoefenen, sporten, enzovoort.

WAT JE NIET MOET DOEN

Soms is het heel moeilijk om zelf te verzinnen wat je zult gaan doen en dan kan het dat je vindt dat anderen dat voor je moeten doen: je ouders, broer, zus of vrienden: 'Ik verveel me, wat zal ik eens gaan doen?', 'Ik weet niet wat ik moet gaan doen.' Je hoopt dat een ander het voor jou oplost.

Sommige jongeren vinden het heerlijk om hun vrije tijd in hun eentje in te vullen, maar zijn dan heel lang met hetzelfde bezig. Ze balen als anderen hen storen en beschouwen ze als ongewenste indringers. Ze gaan zo op in waar ze mee bezig zijn, dat ze de tijd en de wereld om hen heen helemaal vergeten. En dan vergeten ze ook dat ze nog andere dingen moesten doen...

HOE KUN JE LEREN JE VRIJE TIJD IN TE VULLEN?

Verwacht van mij geen kant-en-klaar recept. Iedereen is anders, gedraagt zich anders en heeft andere behoeftes. De puberteit is een voorbereiding op je leven als volwassene en je zult je dus ook bezig moeten gaan houden met nadenken over de invulling van je vrije tijd.

Natuurlijk moet je in je vrije tijd kunnen doen wat je graag wilt doen, maar als je je in je vrije tijd steeds verliest in één ding en daar helemaal in opgaat, zul je daar later problemen mee krijgen. Mijn tip is dan ook om nu alvast te beginnen met het aanbrengen van variatie in je vrijetijdsbesteding. Zo zul je later je vrije tijd ook beter in kunnen vullen.

Tips!

- **Heel veel jongeren met autisme hebben hun computer als hobby. Ze doen er eindeloos spelletjes op, of surfen en chatten. Het is heerlijk als je dat leuk vindt, maar als je vaak erg lang achter de computer zit, is het handig om met jezelf een tijd af te spreken om even iets anders te gaan doen.**
- **Probeer eens vaker iets samen te doen met je broer of zus, je ouders of vrienden.**
- **Maak eens een lijstje van alle dingen die je leuk vindt om te doen. Op momenten dat je je verveelt, kun je daarop kijken, in plaats van anderen te vragen wat jij zou kunnen gaan doen.**
- **Als je het liefst de hele dag met mensen praat, probeer dan ook eens periodes alleen te zijn.**
- **Doe je altijd hetzelfde en kun je helemaal niets anders verzinnen, vraag dan eens aan klasgenoten wat zij in hun vrije tijd doen. Zo kun je op ideeën komen.**
- **Het is natuurlijk prima om dingen in je eentje te doen, maar probeer ook een deel van je vrije tijd door te brengen met mensen uit je naaste omgeving.**

Muziek

Muziek heeft altijd bestaan en in alle culturen. Muziek is een taal voor iedereen. Het is niet alleen leuk om naar muziek te luisteren, maar zeker ook om een muziekinstrument te bespelen of om te zingen. Er zijn veel verschillende soorten muziekinstrumenten en veel muziekstijlen. Je kunt alleen spelen of met anderen. Als je bijvoorbeeld in een groot muziekgezelschap speelt, speel je samen een stuk, maar jij speelt jouw partij alleen op jouw instrument. Het leuke is ook dat de gesprekken heel vaak over muziek zullen gaan, wat natuurlijk goed uitkomt als je niet zo'n sociale prater bent. Als je alleen wilt spelen, kun je lang alleen zijn met je instrument en steeds beter worden in het bespelen ervan.

Sport

Sporten is niet alleen goed voor je lijf, je zult daardoor ook mensen ontmoeten die van diezelfde sport houden als jij. *En* je hebt een activiteit buiten de deur. Misschien heb je al een sport die je erg graag doet. Als dat niet zo is, kun je eens gaan zoeken wat het beste bij je past.

Zoek een sport die je belangstelling heeft en die geschikt is voor jou. Het kan zijn dat je lichaamscoördinatie, verwerking van sensorische prikkels en sociale vaardigheden een blokkade zijn voor een bepaalde sport. Je kijkt bijvoorbeeld graag naar rugby op de televisie, maar hebt problemen met aanraken. Dan is de conclusie dat rugby niet echt een sport voor jou is. De meeste teamsporten zijn vaak te heftig voor iemand met autisme. Er zijn dus dingen waar je op moet letten bij het kiezen van een sport.

BALSPORTEN

- **Voetbal**: er staan twee keepers in hun doel en er lopen twintig spelers door elkaar op het veld. Er wordt er niet echt voorzichtig met elkaar omgegaan. De training verloopt meestal wel gestructureerd en je bent veel buiten. De keeper heeft een aparte plaats in het team. Hij heeft binnen dat grote veld een eigen afgelijnde plaats en een eigen taak. Dit zou een goede plek voor jou kunnen zijn, zeker als je heel detailgericht bent en je dus goed op de bal kunt concentreren.

- **Basketbal**: er wordt gespeeld met twee ploegen van vijf spelers, inclusief keepers. Het veld is kleiner dan een voetbalveld en het is altijd binnen. Het doel is om te scoren in de korf (*basket* in het Engels) van de tegenstander. Natuurlijk probeert de tegenstander dat te verhinderen en dat kan bij mensen met autisme voor veel irritatie zorgen.
- **Volleybal**: er wordt binnen gespeeld met een team van zes spelers aan elke kant van een hoog net. De spelers moeten met hun handen de bal over het net spelen. Een sport met niet al te veel prikkeling of directe aanraking.
- **Veldhockey, zaalhockey en ijshockey**: er staan twee keepers in het doel en twintig spelers met maaiende hockeysticks op het veld. Vooral de keeper in zijn doel is goed beschermd ingepakt. Sporten met behoorlijk wat prikkelingen.
- **Handbal**: op het handbalveld staan veertien spelers, inclusief keepers. Het spel gaat snel heen en weer en de spelers zijn afwisselend verdedigers en aanvallers. Het is de bedoeling om te scoren in het doel van de tegenstander. Er is behoorlijk wat lichaamscontact en het wisselen van de rollen kan moeilijk zijn als je autisme hebt.
- **Honkbal**: dit is een sport alleen voor mannen en heel populair in Amerika. Er wordt gespeeld door twee teams van elk negen spelers. Staat de ene ploeg in het veld (de veldpartij), dan is de andere ploeg aan de beurt om de bal met een knuppel weg te slaan en andersom. Het veld bevat vier honken en is heel duidelijk en overzichtelijk. Honkbal is een teamsport waarbij de individuele prestatie erg belangrijk is. Een sport met veel duidelijkheid en weinig getrek en gepluk.
- **Softbal**: dames en heren spelen ieder in hun eigen competitie. Softbal lijkt veel op honkbal, maar heeft een aantal afwijkende regels. Zo is het aangooien bij softbal onderhands, is

het veld kleiner en de bal iets groter. Een softbalwedstrijd duurt gemiddeld maar half zo lang als een honkbalwedstrijd.

- **Tennis**: een spel met duidelijke regels en een heel overzichtelijk veld, waar niet meer dan vier mensen op staan tijdens een wedstrijd. Aan jouw kant van het net sta je alleen of hooguit met z'n tweeën. Een sport die zowel buiten als binnen wordt gespeeld.

OVERIGE SPORTEN

- **Schermen**: een vechtsport waarbij lichamelijk contact niet toegestaan is. Je vecht met de floret, de degen en de sabel, maar het is ongevaarlijk omdat je beschermende kleding aanhebt. Je hebt er tactisch inzicht, reactievermogen, behendigheid en concentratievermogen voor nodig. Helaas is het wel een dure sport.
- **Paardrijden**: bij uitstek geschikt voor autistische mensen die van dieren houden. Het is erg individueel, ook al rijd je met meerdere mensen. Er zijn heel veel mogelijkheden, het is alleen wel een kostbare sport.
- **Atletiek**: een ideale manier van sporten, omdat het erg individueel is en er weinig lichaamscontact is.
- **Dansen**: bij stijldansen dans je altijd samen met je partner, maar bij streetdance of jazzballet dans je met allemaal dezelfde pasjes naast elkaar. Samen dus, maar toch individueel.
- **Krachtsport**: dit doe je op een sportschool en bijna altijd individueel.
- **Wielrennen, skaten, skateboarden, schaatsen, zwemmen**: Al deze sporten bieden je veel mogelijkheden. Buiten of binnen, alleen of met anderen. In wedstrijdverband of voor ontspanning.

- **Vechtsport** (zoals judo, aikido of karate): dit doe je op een sportschool, je krijgt les in een groep en oefent vaak met z'n tweeën of alleen. Het kan ook in wedstrijdverband. Dit is ook een goede sport om je wat meer zelfvertrouwen te geven, zodat je je minder snel laat pesten. Je hebt wel veel lichamelijk contact met je tegenspeler.
- **Vissen**: lekker rustig buiten, samen of alleen. Kan ook in wedstrijdverband.
- **Denksport** (zoals schaken of dammen): ook een sport, maar hiervoor gebruik je alleen je hersens, niet je spieren.
- **Wandelen**: dit kun je alleen doen of met anderen, wat je wilt.

En dit zijn niet alle sporten – er zijn er te veel om op te noemen, er zijn dus mogelijkheden genoeg! Het is alleen wel belangrijk om goed te kijken of een sport iets voor jou is, voor je eraan begint. Om erachter te komen welke sport voor jou het meest geschikt is, kun je een lijstje maken met alle voor- en nadelen, dan wordt het overzichtelijker. Meestal kun je eerst een keer meedoen of komen kijken voordat je lid wordt. Dat zou ik zeker doen als ik jou was.

Mocht het bij een sportclub niet zo goed lukken, dan kun je hulp vragen aan MEE. MEE is een deskundige adviesorganisatie voor iedereen met een beperking. Op www.mee.nl kun je een bureau bij jou in buurt vinden. In België kun je terecht bij het Vlaams Fonds (www.vlafo.be).

16
Zelfstandig

Eigenlijk wil ik het boek afsluiten zoals ik het ben begonnen. Ik heb je op allerlei gebieden tips gegeven, maar je moet het uiteindelijk wel allemaal zelfstandig kunnen. Straks kom je van de middelbare school en ga je een vervolgopleiding doen, of je gaat een baan zoeken. Er wordt dan van je verwacht dat je zelfstandig kunt werken. Je zult ongetwijfeld voor veel problemen komen te staan die je helemaal zelf moet oplossen.

Zolang je nog op de middelbare school zit, kun je nog volop oefenen en zijn er je ouders, docenten, mentor, leerlingbegeleiders en anderen om op terug te vallen, maar het is slim om alvast te beginnen met zelfstandiger worden. Zelfstandig kunnen functioneren begint met zelf je lunchpakket maken dat je mee naar school neemt, je huiswerk plannen, je kamer netjes houden, weten wanneer je moet douchen en wanneer je kleren in de was moeten.

Geld

ZAKGELD

De meeste jongeren krijgen zakgeld van hun ouders – een goede manier om met geld om te leren gaan. Op www.jip.org wordt geadviseerd om afspraken met je ouders te maken over zakgeld: hoeveel je krijgt en wanneer en wat je ermee moet doen.

- Per week of per maand?
- Mag je alles vrij besteden?
- Moet je een gedeelte sparen?
- Moet je er cadeautjes, schoolspullen en openbaar vervoer van betalen?

KLEEDGELD

De meeste jongeren kunnen vanaf hun dertiende of veertiende heel goed hun eigen kleding uitzoeken en aanschaffen. Veel jongeren krijgen daarom vanaf die leeftijd kleedgeld van hun ouders. Dat houdt in dat je een vast bedrag per maand of per week krijgt, waar je vervolgens zelf je kleding van moet kopen.

Net als bij zakgeld is het belangrijk dat je afspraken maakt met je ouders over de besteding van je kleedgeld. Moet je van je kleedgeld alles kopen, dus ook een winterjas en schoenen? Dat zijn grote uitgaven – voorkom problemen achteraf door van tevoren goede afspraken te maken. Met kleedgeld en zakgeld kun je wennen aan het plannen, want soms zul je je kleedgeld de ene maand moeten bewaren om volgende maand die dure broek te kunnen kopen.

WAAR BLIJFT JE GELD?

Hoeveel geld komt er binnen en waar geef je het nou eigenlijk aan uit? Vaak is dit niet helemaal duidelijk, dus is het handig om het bij te houden. Niet alleen je bankafschriften, maar ook welke dingen je contant betaalt. Je bioscoopkaartje bijvoorbeeld en iets lekkers in de pauze. Vaak vormen al die kleine bedragen bij elkaar best een hoog bedrag, en dan blijft er weinig over om te sparen, bijvoorbeeld voor die stereo of dat ene computerspelletje.

De wereld in

Zelfstandig worden houdt natuurlijk nog veel meer in: reizen met het openbaar vervoer, alleen naar de kapper gaan, boodschappen doen, leren koken. Al deze stappen vergen voorbereiding, waar je nu nog hulp bij kunt krijgen. Deel alles altijd op in overzichtelijke kleinere delen, wat je ook gaat doen. En bereid je goed voor, voor je iets onderneemt. Als je aan de hand van het volgende lijstje vragen over gebeurtenissen beantwoordt, heb je ze meteen in kleinere stappen opgesplitst:

- Wat ...
- Wanneer ...
- Hoe ...
- Met wie ...

Een voorbeeld: je wilt met de trein van Amsterdam naar Utrecht. Je kunt dan de volgende vragen stellen:

- *Wat* wil ik?
  Van Amsterdam naar Utrecht.
- *Wanneer* wil ik dat?
  Morgen.

- *Wanneer* moet ik in Utrecht zijn?
  Om 14.00 uur.
- *Wanneer* vertrekt de trein naar Utrecht?
  Om 13.15 uur. (Dit kun je opzoeken op internet.)
- *Hoe* ga ik naar het station?
  Ik word gebracht of ik ga met de fiets.
- *Hoe* werkt de kaartjesautomaat en wat kost een kaartje?
  Ik ga van tevoren naar het station om dat te bekijken en kan dan eventueel meteen een kaartje kopen, dat kost € 6,40 (dit kun je opzoeken op internet).
- *Hoe* moet ik mijn kaartje afstempelen als ik pas de volgende dag ga reizen?
  Als ik mijn kaartje koop, kijk ik meteen waar de stempelautomaat staat, anders vraag ik het aan de conducteur of een andere passagier.
- *Hoeveel* tijd heb ik nodig om naar het station te gaan?
  Twintig minuten.
- *Wanneer* ga ik dan van huis?
  Om 12.40 uur.
- *Wanneer* kom ik aan?
  Om 13.45 uur.
- *Wat* doe ik als ik de trein mis?
  Ik print van internet vooraf meerdere tijden uit, dan weet ik hoe laat de volgende gaat.
- *Wat* doe ik als ik vertraging heb?
  Dan neem ik de volgende trein.
- *Wat* doe ik als de treinen helemaal niet rijden?
  Ik ga naar de conducteur of iemand anders van de spoorwegen en vraag hoe ik verder moet. Of ik bel naar huis om te overleggen (je hebt natuurlijk *altijd* je mobieltje bij je).

Zo kun je van alle activiteiten die je wilt of moet gaan ondernemen van tevoren een checklist maken, waardoor het voor jou overzichtelijk wordt. Misschien heb je de eerste keer dat je dat doet niet met alles rekening gehouden en ben je toch in paniek geraakt. Nou en... er komt weer een volgende keer! Je leert van iedere keer dat je iets nieuws onderneemt, dat geldt voor iedereen.

Bij de Nederlandse Vereniging voor Autisme (www.autisme-nva.nl) kun je een zogenaamde 'autipas' bestellen, een pasje met je naam en een korte uitleg over autisme. Je kunt dit pasje laten zien als je in een lastige situatie komt, zodat mensen beter begrijpen waarom je op een bepaalde manier reageert.

Koken, wassen en schoonmaken

Na de middelbare school zul je verder gaan leren, of gaan werken. Als je van plan bent na de middelbare school in een andere stad te gaan studeren en op kamers te gaan, is het aan te raden je daar goed op voor te bereiden. Ook als je niet gaat studeren, wil je over een tijdje misschien wel op jezelf gaan wonen. Het is handig als je dan weet hoe je de dingen in het huishouden aanpakt. Ik noem een aantal huishoudelijke klussen en ik geef er richtlijnen bij aan de hand waarvan je kunt leren het zelf te doen – rechtstreeks afkomstig uit ons eigen huishouden.

Ga in het laatste jaar van de middelbare school zelf een aantal huishoudelijke taken doen, eerst met hulp en langzamerhand steeds meer zelfstandig:

- Zelf je kamer schoon en opgeruimd houden.
  - Hoe vaak moet je dat doen?
  - Wat moet je allemaal doen?
  - Welke schoonmaakmiddelen gebruik je waarvoor?

- Hoe weet je wanneer je klaar bent?

- Je eigen was sorteren, in de wasmachine doen en het *goede* programma draaien.
  - Wanneer zijn mijn kleren toe aan een was?
  - Hoe vaak was je?
  - Welke stoffen en kleuren stop je bij elkaar?
  - Op welke temperatuur moet iets gewassen worden?
- Bepalen welke was er in de droger kan en welke was aan de waslijn.
  - Kan de stof in de droger?
  - Kan de kleur in de droger?
  - Hoe hang je was aan een waslijn?
- Je eigen kleren strijken.
  - Wat moet je strijken en wat niet?
  - Hoe en op welke temperatuur strijk je iets?
  - Hoe lang strijk je iets?
- Een keer in de week voor het hele gezin koken.
  - Een recept uitzoeken.
  - Een boodschappenlijstje maken.
  - Boodschappen doen.
  - Een kookplanning maken: hoeveel tijd heb je waarvoor nodig en in welke volgorde doe je alles?

Zelfstandig koken

Natuurlijk is het niet altijd gemakkelijk en zul je fouten maken, maar dat mag ook nog zolang je thuis woont, daar leer je veel van. En dan zul je als je op jezelf woont ook niet zo snel in paniek raken als je een foutje maakt.

Ervaring is niets meer dan de som van al je fouten.

BIJLAGEN

A
Een verslag voor je nieuwe school

Wij heb begrepen dat er op *(naam van de school)* al het een en ander wordt gedaan om leerlingen met autisme beter te begrijpen. Maar omdat autisme zich bij ieder kind anders manifesteert, hebben wij ter ondersteuning van *(jouw naam)* enerzijds en het schoolteam anderzijds, dit verslag gemaakt. Als iedereen in het team op de hoogte is van het aan het autisme gerelateerde gedrag van *(jouw naam)*, kunnen misverstanden misschien voorkomen worden.

(Jouw naam) is ... jaar en kreeg toen hij ... jaar was de diagnose autisme. Hij zit nu in de ... klas van *(naam van je school)*. Daar heeft hij met extra begeleiding goed mee kunnen komen. Die begeleiding bestond uit: *(beschrijving begeleiding)*. Dit goed mee kunnen komen is het resultaat van grote inspanningen van ons als ouders, de docenten en schoolleiding, maar vooral van *(jouw naam)* zelf. De ontwikkeling die *(jouw naam)* mede hierdoor door kon maken, willen we graag voortzetten.

Autisme is voor buitenstaanders een bijzonder lastig te begrijpen en te hanteren handicap.

Autisme is een stoornis in de hersenen, die betrekking heeft op de informatieverwerking. De kenmerken van het autisme van *(jouw naam)* kunnen op school vooral zichtbaar worden op de volgende gebieden:

- Sociale vaardigheden:
  (Noem hier de punten die je hebt aangekruist over je sociale functioneren in hoofdstuk 5. Bijvoorbeeld: Het contact van (jouw naam) *met zijn omgeving heeft veelal de vorm van eenrichtingsverkeer.)*
- Communicatie:
  (Noem hier de punten die je hebt aangekruist over communicatie in hoofdstuk 5. Bijvoorbeeld: (Jouw naam) *interpreteert uitspraken vaak letterlijk; heeft moeite met interpretatie tussen de regels door; vindt het moeilijk om een verhaal gestructureerd te vertellen; verwerkt auditieve informatie langzamer; heeft vaak wat extra toelichting nodig.)*

Door hun informatieverwerkingsstoornis hebben leerlingen met autisme behoefte aan structuur, overzicht, duidelijkheid en voorspelbaarheid. In dat licht kan men stellen dat het voortgezet onderwijs in wezen zeer autisme-onvriendelijk is. Scholieren worden geconfronteerd met tien tot vijftien docenten in tien tot vijftien verschillende lokalen, tien tot vijftien vakculturen en vele leswisselingen.

Een leerling met autisme moet veel meer moeite doen dan zijn niet-autistische klasgenoten om inzicht te krijgen in en vat te krijgen op al deze patronen. Als er onverwachts een lesuur uitvalt of als er een wijziging in het lesrooster plaatsvindt zonder dat daar een duidelijk alternatief voor wordt geboden, kan de autistische leerling hierop inadequaat reageren – iets wat voor medeleerlingen en docenten vaak onbegrijpelijk is. Als *(jouw naam)* daarentegen op tijd weet dat er een les uitvalt en iemand hem vertelt wat hem vervolgens te doen staat, is er niets aan de hand.

Wie niet bekend is met de stoornis, kan geneigd zijn het gedrag van deze pubers te interpreteren volgens eigen, gangbare normen. Maar wat brutaal, koppig of onwelwillend lijkt te zijn, is vaak een uiting van onvermogen tot handelen, een onvermogen tot communiceren. Dit probleem kan vergroot worden doordat *(jouw naam)* niet altijd in staat is onder woorden te brengen wat zijn probleem is, of hij komt simpelweg niet op de gedachte om dat te doen.

Toch zijn autistische leerlingen die voortgezet onderwijs volgen veelal relatief begaafde leerlingen. Ze zijn, zoals men wel eens zegt, 'in lichte mate autistisch'. Deze term is misleidend. *Alle* mensen met een stoornis in het autistisch spectrum ondervinden moeilijkheden op het gebied van sociale contacten en communicatie. Naarmate dat op het eerste gezicht minder opvalt, zijn docenten, medeleerlingen en wie dan ook, minder geneigd om met de eigenaardigheden van de leerling met autisme rekening te houden en hem tegemoet te komen. Maar *(jouw naam)* heeft wel degelijk een handicap en heeft hulp en bepaalde faciliteiten nodig. Wij beseffen echter terdege dat het reguliere onderwijs bepaalde faciliteiten niet in huis heeft.

Misleidend is ook dat *(jouw naam)* goede cognitieve vaardigheden heeft. Daarom wordt er – begrijpelijk – vaak als volgt geredeneerd: 'Als hij dat goed kan, dan moet hij dit toch ook kunnen.' Dat gaat voor *(jouw naam)* nu juist niet op.

(Jouw naam) kan op *(naam van de school)* veel leren, *ook* op sociaal en communicatief vlak, maar zijn ontwikkelingsproces is niet voorspelbaar. Jongeren zonder autisme leren op sociaal en

communicatief gebied veel door te kijken naar anderen en hen na te doen. Veel van wat deze jongeren zien en horen, nemen ze als vanzelfsprekend over – ze denken: zo doe je dat kennelijk. Door 'trial and error' of 'gissen en missen' komen ze erachter welk gedrag waar wordt gewaardeerd – en wat waar *niet* op prijs wordt gesteld. Dit alles gebeurt veelal niet eens bewust maar spelenderwijs, maar het vereist wel vaardigheden als observeren, interpreteren, imiteren, exploreren, experimenteren, enzovoort. Dat is voor iemand met een autistische stoornis erg moeilijk; hooguit het imiteren zal hem wat vlotter afgaan – maar dat is slechts van beperkte waarde als je niet in staat bent in te schatten waar en wanneer bepaald gedrag gemanifesteerd dient te worden. Het kost een autistische leerling dus zeer veel energie om in sociale processen en schoolse activiteiten mee te draaien.

(Jouw naam) zal steeds opnieuw weer energie moeten steken in het:

- begrijpen van situaties
- begrijpen van taal
- interpreteren van non-verbaal gedrag en het bepalen van de eigen inbreng
- uitdrukken van eigen inbreng

Wat kun je als docent bij *(jouw naam)* tegenkomen of hoe kun je *(jouw naam)* tegemoetkomen?

Uit globale instructies die voor de meeste leerlingen toereikend zijn, haalt *(jouw naam)* vaak niet de juiste informatie. *(Jouw naam)* heeft meer baat bij een gedetailleerde instructie met duidelijke stappen die hij moet nemen. Als de instructie wel duidelijk is, is het mogelijk dat hij deze misschien te letterlijk opvat.

Een voorbeeld van wat er kan gebeuren:

Een autistische leerling moet een aantal vragen beantwoorden naar aanleiding van een tekst. Hij stuit op een vraag die hij niet kan beantwoorden. Hij blijft ernaar kijken en raakt helemaal geblokkeerd. Als de docent zegt dat het bijna tijd is, schrijft de leerling ten einde raad de vraag maar over, omdat de docent had gezegd: 'Niets opschrijven is altijd fout!'

Een ander punt van belang is dat mensen met autisme een afwijkende prikkelverwerking hebben. Zij kunnen achtergrondgeluiden niet op dezelfde manier wegfilteren zoals 'gewone' mensen dat doen. Als er erg veel prikkels zijn, is het voor hen erg moeilijk om zich te concentreren. Het kan ook gebeuren dat ze alle prikkels wegdrukken, waardoor het lijkt alsof ze niet willen luisteren.

Als een docent huiswerk opgeeft terwijl leerlingen hun tassen inpakken, is de kans groot dat *(jouw naam)* geen huiswerk opschrijft. Het ontgaat hem dan. Hij neemt het wel op als het huiswerk op het bord geschreven staat, als visuele ondersteuning. Als het erop lijkt dat hij het niet oppikt, is even checken of hij het doorheeft het handigst – het is absoluut geen onwil!

Duidelijkheid en visualisering zijn de belangrijkste hulpmiddelen om een kind met autisme tegemoet te komen.

Een goed 'maatje' kan wonderen verrichten bij het functioneren van *(jouw naam)* in de klas. Een goed maatje is een klasgenoot die zelf rustig en stabiel werkt en die *(jouw naam)* wegwijs kan maken met de regels en gewoonten van de school. Uiteraard mag dit kind niet met verantwoordelijkheid belast worden, maar zijn directe aanwezigheid kan voor *(jouw naam)* een veilige steun zijn.

Helaas worden vaak alleen de tekorten van mensen met autisme belicht, waarbij veel te vaak voorbij wordt gegaan aan aanwezige talenten. Het is zinvol om gebruik te maken van de dingen waar mensen met autisme wel goed in zijn – zo hebben zij over het algemeen een bijzonder goed geheugen, juist doordat zij andere methodes hanteren om feiten en gebeurtenissen op te slaan. Zij leven het liefst volgens vaste regels en zullen wetten en afspraken dan ook vaak trouw naleven. Zij kunnen zeer analytisch denken en zijn eerlijk en betrouwbaar vanwege het eenvoudige feit dat zij door hun denkstructuur nauwelijks kunnen liegen en bedriegen. In het uitvoeren van hun werk zijn zij zeer perfectionistisch en ze hebben oog voor details die anderen ontgaan.

B
Oneliners voor docenten

- Autisme heb je, je bent geen autist.
- Onmacht kan lijken op onwil.
- Een leerling met autisme kan heel makkelijk worden afgeleid door sensorische prikkels, zoals achtergrondgeluiden, die je zelf niet opmerkt.
- Probeer je bij het formuleren van opdrachten in te leven in hoe de leerling de opdracht zal begrijpen.
- Probeer de leerling voor te bereiden op veranderingen.
- Bespreek met de leerling wat hij moet doen bij lesuitval en roosterwijzigingen.
- Leerlingen met autisme hebben behoefte aan structuur.
- Controleer altijd of de leerling goed begrijpt wat je bedoelt.
- Leerlingen met autisme benaderen zaken anders – als ze een opdracht niet in hun agenda zetten, maken ze die ook niet, want je moet alleen doen wat in je agenda staat.
- Denk niet dat de leerling je probeert te manipuleren – kinderen met autisme gedragen zich anders.
- Als een leerling met autisme een zin herhaalt, betekent dat niet dat die ook begrepen is.
- Soms moet je voor deze leerlingen uitzondering maken – durf af te wijken van regels.

- Dwing een leerling niet in de pauze het schoolplein op te gaan.
- Een autistische leerling leert niet van straf, wel van regels.
- Gebruik zo min mogelijk figuurlijk taalgebruik.
- Ga het conflict niet aan, maar maak afspraken.
- Geef de leerling een vaste, rustige plaats in de klas.
- Geef duidelijke, begrensde opdrachten.
- Geef geen complexe opdrachten.
- Bied extra tijd bij proefwerken en het beantwoorden van vragen.
- Geef keuzemogelijkheden als je een vraag stelt.
- Probeer niet alleen verbaal les te geven maar ook visueel.
- Geef gelegenheid om met leerlingen met dezelfde interesses te praten.
- Gebruik het gedrag van anderen als voorbeeld om iets uit te leggen.
- Gebruik concrete taal.
- Gedraag je rustig en voorspelbaar.
- Gebruik stappenplannen, studiewijzers en weekplanners.
- Gebruik niet meer woorden dan nodig is.
- Houd altijd de individuele hulpvraag van de leerling met autisme in het achterhoofd.
- Lange, moraliserende verhalen hebben weinig effect.
- Benut de interesses van de leerling met autisme om hem iets nieuws te leren.
- Laat jongeren met autisme veel met de computer werken.
- Kondig veranderingen bijtijds aan.
- Leer de leerling om klasgenoten om hulp te vragen.
- Leer de leerling om anderen te helpen en aandacht te geven.
- Licht gebeurtenissen en voorvallen indien nodig toe.
- Leer de leerling om complimentjes te geven.
- Leer de leerling om zichzelf bepaalde handelingspatronen op te leggen.

- Probeer je aan te passen, mensen met autisme kunnen zich niet aanpassen.
- Wees alert op plagen en pesten.
- Luisteren en tegelijkertijd aantekeningen maken is een te complex proces.
- Maak duidelijk dat de leerling om hulp moet vragen als hij ergens niet uit komt.
- Moedig de leerling aan om mee te doen met groepsactiviteiten.
- Noem de leerling regelmatig bij de naam en zeg wat hij moet doen.
- Overhaast de leerling niet, voer de druk niet op.
- Vraag klasgenoten om begrip.
- Probeer probleemsituaties voor te zijn.
- Raak een leerling niet zo maar aan.
- Reageer altijd consequent.
- Reik alternatieven aan voor probleemgedrag.
- Sociale interactie is voor een kind met autisme geen ontspanning maar inspanning.
- Stimuleer vriendschappen en benoem, in overleg, een maatje.
- Structureer tekst door belangrijke delen te onderstrepen.
- Uitlachen komt erg hard aan, omdat de aanleiding vaak niet begrepen wordt.
- Afwijkend gedrag is niet persoonlijk bedoeld.
- Vereenvoudig en verduidelijk de omgeving.
- Verklaar grapjes.
- Verplicht de leerling niet tot samenwerken.
- Verwacht geen empathie.
- Waarschijnlijk hoort de leerling je niet als je de klas toespreekt.
- Autistische leerlingen hebben veel baat bij visualisatie.
- Maak geen kleinerende opmerkingen.

- Structureer de lesstof.
- Wat leerlingen met een stoornis in het autistisch spectrum niet aanvoelen, kunnen ze wel vaak aanleren.
- Autistische mensen hebben behoefte aan voorspelbaarheid.
- De uitspraak 'Snap dat nou' heeft geen nut: wat emotioneel niet aangevoeld wordt, vraagt om een concrete uitleg.
- Zet huiswerk op het bord.
- Zorg dat de lesindeling duidelijk en voorspelbaar is.

Websites

Autisme

www.autisme-nva.nl: Nederlandse Vereniging voor Autisme (NVA).

www.autsider.net: Site waar mensen met autisme met elkaar in contact kunnen komen.

www.pasnederland.nl: PAS is een onafhankelijke belangenvereniging voor en door normaal- tot hoogbegaafde volwassen personen uit het autismespectrum.

www.balansdigitaal.nl: Balans, een vereniging voor ouders van kinderen met ontwikkelings-, gedrag- en leerstoornissen.

www.autisme.startpagina.nl: Portaalsite.

www.leefwijzer.nl: Site voor mensen met een handicap.

www.lichaamstaal.com: Informatie over lichaamstaal.

www.autismevlaanderen.be: Vlaamse Vereniging Autisme.

www.autisme.be: Site van Autisme Centraal, een Vlaams kennis- en ondersteuningscentrum.

www.auctores.be: Vlaamse vereniging voor de bevordering van onderwijs en hulpverlening aan mensen met autisme en hun omgeving.

Puberteit

www.allesovergay.nl: Uitleg, hulp en advies over homoseksualiteit.

www.bewareofloverboys.nl: Informatie over loverboys, prostitutie, liefde en meer.

www.coc.nl: Belangenvereniging voor homoseksuelen.

www.jip.org: Jongeren Informatie Punt, met informatie en advies over werk, school, drugs, geld, enzovoorts.

www.voedingscentrum.nl: Site over gezond eten, je gewicht en diëten.

www.gezondheid.be: Vlaamse site over onder andere gezond eten, je gewicht en diëten.

www.holebifederatie.be: Vlaamse belangenvereniging voor homoseksuelen.

Onderwijs

www.landelijknetwerkautisme.nl: Het Landelijk Netwerk Autisme stimuleert aangepast onderwijs en begeleiding van autistische leerlingen.

www.overgangpovo.nl: Informatie over de overgang van het primair onderwijs naar het voortgezet onderwijs.

www.nvvto.nl: Nederlandse Vereniging voor Thuisonderwijs.

www.thuisonderwijs.net: Informatie over thuisonderwijs, met onder meer links over onderwijswetgeving.

www.kennisnet.nl: Veel informatie voor praktische opdrachten of werkstukken.

www.leren.nl: Duizenden pagina's over allerlei onderwerpen. Bevat bovendien veel tips en links.

www.digischool.nl: Voor hulp en informatie over allerlei vakken.

www.efkasoft.com, www.wrts.nl, www.histopia.nl: Online overhoorprogrammas's.

www.laks.nl: Organisatie voor en van scholieren.

www.onderwijsinspectie.nl: Onderwijsinspectie.

www.onderwijsinspectie.be: Vlaamse onderwijsinspectie.

www.ond.vlaanderen.be: Informatie over onderwijs in Vlaanderen.

www.ond.vlaanderen.be/clb: Vlaamse centra voor leerlingbegeleiding.

Uitkeringen en uitkeringsinstanties

www.svb.nl: Sociale verzekeringsbank voor onder andere kinderbijslag, Tegemoetkoming Onderhoudskosten Gehandicapte kinderen (TOG) en PGB.

www.pgb.nl: Alles over PGB.

www.oudersenrugzak.nl: Oudervoorlichting over leerlinggebonden financiering.

www.szw.nl: Ministerie van Sociale Zaken en Werkgelegenheid. Hier kun je alles vinden over allerlei uitkeringen, waaronder Wajong.

www.jeugdzorg.nl: Voor de aanvraag van PGB.

www.vlafo.be: Het Vlaams Fonds, voor informatie over het persoonlijke-assistentiebudget, het PAB.

Hulpverlening

www.soshulp.nl: Een hulpdienst die je 24 uur per dag kunt bereiken, je kunt er ook chatten en mailen.

www.pesten.net en www.pestweb.nl: Informatie over pesten.

www.nibud.nl: Budgetinformatie

www.mee.nl: Adviesorganisatie voor gehandicapten.

www.vlafo.be: Vlaamse organisatie voor de participatie, gelijkheid en integratie van gehandicapten.

www.stichtingcad.nl: Voor hulp bij problemen met alcohol en drugs.

www.vad.be: Vlaamse organisatie voor hulp bij problemen met alcohol en drugs.

www.kindertelefoon.nl: Hier kun je voor allerlei grote en kleine problemen terecht.

www.kjt.org: De Vlaamse Kinder- en Jongerentelefoon.

Ten slotte...

www.freewebs.com/babsgraphicworks/index.htm: Site van de illustrator van de *Pubergids*.

Aanbevolen literatuur

Bernardt, W. (2005), *Dark eye*. New York: Ballantine Books.
Fictie. Een vrouwelijke politie 'profiler' krijgt hulp van een jongen met autisme bij haar strijd tegen een seriemoordenaar die zijn inspiratie vindt in de verhalen van Edgar Allan Poe.

Bracke, D. (1997), *Een lege brug*. Leuven: Davidsfonds/Infodok.
Over een vijftienjarige jongen die verliefd wordt op een meisje met autisme en hoe moeilijk het is om met haar in contact te komen.

Cauvin, P. (2004), *Le Silence de Clara*. Parijs: Michel.
Roman over een heel jong meisje met autisme dat de medische wetenschap op zijn kop zet door een tekst over een reis naar Alaska in de toekomst te schrijven.

Collett, P. (2003), *De verborgen boodschap. Het geheim van lichaamstaal ontmaskerd*. Utrecht: Bruna.

Dumortier, D. (2002), *Van een andere planeet. Autisme van binnenuit*. Antwerpen/Amsterdam: Houtekiet.
Autobiografisch verhaal.

Gerland, G. (1998), *Een echt mens.* Antwerpen/Baarn: Houtekiet.
Autobiografie van een vrouw met autisme.

Grandin, T. (1996), *Thinking in pictures and other reports from my life with autism.* New York: Doubleday.

Grandin, T. (2005), *Denken als dieren.* Utrecht: Bruna.
De kijk van een wetenschapster met autisme op dierengedrag.

Haddon, M. (2003), *Het wonderbaarlijke voorval met de hond in de nacht.* Amsterdam: Uitgeverij Contact.
Roman over de vijftienjarige Christopher die autistisch is en leeft in een beperkt, veilig wereldje. Wanneer de hond van de buurvrouw vermoord is, onderneemt hij een speurtocht die zijn leven op zijn kop zet.

Holliday, L. (1999), *Doen alsof je normaal bent. Leven met het Asperger-syndroom.* Amsterdam: Nieuwezijds.

Jackson, L. (2002), *Mafkezen en het Asperger-syndroom.* Amsterdam: Nieuwezijds.
Aan de hand van zijn eigen ervaringen vertelt een dertienjarige jongen over wat het betekent voor pubers om het syndroom van Asperger te hebben.

Janssen, K. (1994), *Mijn broer is een orkaan.* Leuven: Davidsfonds/Infodok.

Leguijt, G. (1995), *Heibel in m'n hoofd.* Kampen: Uitgeverij Kampen.

Momma, K. (1996), *En toen verscheen een regenboog. Hoe ik mijn autistische leven ervaar*. Amsterdam: Prometheus.

Sainsbury, C. (2004), *Marsmannetje op school. Over schoolkinderen met het Asperger-syndroom*. Antwerpen: Houtekiet.

Schiltmans, C. (2002), *Autisme verteld. Verhalen van anders zijn*. Gent: Epo.

Velde, C. van der (2004), *Oudergids Autisme. Een praktische handleiding sociale vaardigheden*. Amsterdam: Nieuwezijds.

Vermeulen, P. (1997), *Een gesloten boek. Autisme en emoties*. Leuven: Acco.

Vermeulen, P. (1998), *Brein Bedriegt. Als autisme niet op autisme lijkt*. Berchem: Epo.

Vermeulen, P. (1999), *...!?. Over communicatie en autisme*. Berchem: Epo.

Vermeulen, P. (1999), *Dit is de titel. Over autistisch denken*. Berchem: Epo.

Vermeulen, P. (2002), *Voor alle duidelijkheid. Leerlingen met autisme in het gewone onderwijs*. Berchem: Epo.

Williams, D. (1992), *Mijn wereld, de wereld. Autobiografie*. Houten: Van Holkema & Warendorf.

Bronnen

Auden, W.H. (1965), *About the house*, New York: Random House, in: F.R. Oomkes (1986), *Communicatieleer. Een inleiding*. Amsterdam: Boom.

Dienstencentrum Focus (2006), *Handig bij je huiswerk* (Werkboek). Eindhoven: Dienstencentrum Focus.

Dieleman, E. e.a. (2000), *Wereldwijs. Aardrijkskunde voor het voorbereidend middelbaar beroepsonderwijs. Handboek 3+4 VMBO* (p. 128). Den Bosch: Malmberg.

Hoog, T. de, (2004), Autisten voor de nieuwe eeuw. *De Groene Amsterdammer*, 28 februari 2004 (www.groene.nl/2004/0409/tdh_asperger.html).

Oomkes, F.R. (1986), *Communicatieleer. Een inleiding*. Amsterdam : Boom.

Sainsbury, C. (2004), *Marsmannetje op school. Over schoolkinderen met het Asperger-syndroom*. Antwerpen: Houtekiet.

Schiltmans, C. (red.). (2002), *Autisme verteld. Verhalen van anders zijn*. Berchem: EPO/Gent: Vlaamse Vereniging Autisme.

Velde, C. van der (2004), *Oudergids Autisme. Een praktische handleiding sociale vaardigheden*. Amsterdam: Nieuwezijds.

http://home.wanadoo.nl/inca0/as/fsk.htm
http://leerlingen.hetassink.nl/bioweb/vaardigheden/aantekeningen_maken.htm
www.allesovergay.nl
www.jip.org
www.landelijknetwerkautisme.nl
www.leidenuniv.nl
www.lichaamstaal.com
www.msn.be
www.opvoedadvies.nl
www.pesten.net